新装版

女の背ぼね

佐藤愛子

リベラル社

前書き

このエッセイ集は私が四十代後半から七十代はじめにかけて書いた雑文をまとめた何冊かの本の中から、海竜社の編集部によって選ばれ編集されたものである(したがって各篇の中に「〇年前」と書いている箇所は、書いた時点でのことです)。

私の五十代は今から四十年も前だ。日本が高度経済成長に向って駆け上っていき、日本人の生活様式、生活感覚、価値観などが急激に変り始めた時代である。大正の末に生れ、日本が軍国主義に傾斜していく中で少女期を過ごし、青春を戦争の中に埋没させ、敗戦後の混乱・貧困を生きてきた私にとっては、その変りようがどうにも納得出来ず気に入らないことばかり、という日々だった。

私がメディアから「男性評論家」(つまり男を論評する作家)という肩書をつけられたのもその頃である。論評などという上等なものではない。手当り次第に悪口をいいまくっていただけだったのだが、その悪口がまだ通用する空気が社会には残っていた。

その頃、新聞紙上を賑わした事件にアベック（今はなくなった懐かしい言葉）強盗というのがあった。深夜、公園などにいるアベックを襲って金を巻き上げたり、女を犯したりしたのである。その時、アベックの男の方は愛する女性を守るために賊と戦うことをせずに、さっさと一人で逃げた。そんな事件が増えていき、報道を読むたびに私は憤慨のペンを執《と》って、

「男の誇りはどこへいった！　責任感はどうなった！　恥知らずめ……」

と猛攻撃したものである。私は男は「男らしく」あらねばならぬという信念を持っていて、従って男女平等には懐疑的だったのだ。

しかし現代は男女平等という言葉さえ古くさくなってしまった。男も女もない。男は女のように、女は男のようになった。今更平等という観念をふり廻したりする必要はなくなった。たとえ強盗に女が殺されたからといって、逃げた男が「恥を知れ」な

ども罵《ののし》られることはない。「仕方ないよ、へたに抵抗して殺されてはつまらないからね」と慰められる。

時代は大雨の後の渓流のように流れていく。その急流に棹《さお》さして、仁王立ちで漕いでいた私も、いつか少しずつ流されて、

「佐藤さん、昔みたいに痛烈に怒って下さいよ」

といわれても、

「怒れといわれてもねえ……」

いうのも口の中。今は怒ってもイヤミをいっても皮肉っても、相手は馬耳東風《ばじとうふう》、蚊に刺されたほどにも感じないのであるから張り合いがない。忘年会のカラオケ演歌大会で、ひとりソプラノを震《ふる》わせて「アヴエ・マリア」を歌って一座をシラケさせたおばちゃんがいたが、それと同じようなものになってしまうだろう。

こんな本を出しても、たいして意味はないのでは？　と思わぬでもないが、しかし私と同じ時代を生きた頼もしい「生き残り」のお方もおられるだろうから、それを頼

みに出させていただくことにした。せめて
若い人々には、
「ふーん、こんないい分が通用していた時代があったのねえ……」
そんな興味で読んでいただければ、と思う。

百嫗《おうな》
佐藤愛子

目次

2章 適当に賢く、適当にヌケている

【私好みの〈女の背ぼね〉50〜70代】

3章 慢性の病気を克服していくように

【夫婦関係の〈女の背ぼね〉40〜60代】

4章　女と母は強くあれ

【親としての〈女の背ぼね〉40～60代】

5章　これが男というもの

【男性に対する〈女の背ぼね〉50～60代】

6章 いつ死んでも未練はない

【老いを生きる〈女の背ぼね〉50～70代】

1章

苦労は必ずしも不幸ではない

【幸福についての〈女の背ぼね〉40～70代】

幸、不幸は心の持ちよう一つ

ある雑誌社からの電話アンケートの中に、

「あなたは今、幸福ですか」

という一条があった。私がすぐに、

「幸福です」

と答えると、相手は一瞬、とまどったように口をつぐみ、それから、

「どうしてでしょう?」

と反問した。「幸福です」という私の答に相手がとまどったのは、その時私が置かれている状況がいわば嵐の真只中であったためであろう。私は七年余り前に夫の経営していた会社の倒産のために根こそぎ財産を失い、その上に数千万の借金を背負った。以来月々数十万円ずつの借金を返済するために阿修羅《あしゅら》のごとくに働きまくっていた。

家庭の平和もよりよき文学への夢も犠牲になった。そんな私が「幸福です」と答えるとは相手は想像もしなかったにちがいない。「考えてみれば、あなたは悲劇の女主人公のような人ね」

と少女時代からの友達がいったことがある。私は二十歳で結婚し、夫の麻薬中毒のために二人の子供を婚家先に残して離婚した。

この結婚の失敗にこりた私は、夫の出来によって幸、不幸が左右されるような女ではない女になりたいと思った。それから売れない小説を十年間書くという情けない生活に入ったが、その間、二度目の結婚をし、結婚十一年目に倒産という大波をかぶったのである。

倒産した時、人はみな、妻は倒産や会社の借金に責任はないのだから、そんな多額の借金をあなたが引き受ける必要はないといった。さんざん苦労してきて、やっと原稿収入で生活出来るようになったのだから、自分の生活を守りなさい、といわれた。

しかし私は人の忠告を聞かず、私の能力に比して重過ぎる借金を背負ってしまった。

なぜ私はそんなことをしたのか。ある人は私を気が強過ぎるといい、ある人は威張って暮したいためだといい、またある人はお人よし過ぎるといい、別の人は楽天家過ぎるといった。それらの言葉は少しずつ、当っているとは思うが、決して核心を射てはいない。

――自由でいたい……。

私がその時、何よりも切望したことはそのことである。そうして私にとって自由とは、私の能力の及ぶ限り借金を背負うということだったのだ。

ある種の性格や物の考え方の人にとって、借金を背負うということは自由を失うことになるかもしれない。しかし私にとってはそうすることが自由なのであった。もし私が自分の身の安穏《あんのん》を守るためにこの倒産の渦から逃げていたならば、私は一生涯〝逃げた〟ということの呵責《かしゃく》と惨めさの中で縮まって生きねばならないだろう。私の払う努力によって私の夫がいくらか助かり、また迷惑をかけた債権者の人たちにいくらかの償いが出来るとしたら、苦しくとも努力した方が私は気持がいいのである。たとえ貧乏の中で一生を終ることになろうとも、私は誇りを持って戦い、そうして死んで行くことが出来るだろう。

私にとってはそうした人生の方が、臆病に平和を守った人生よりも楽しいのである。こんな私を友達は〝嵐を呼ぶ女〟といったが、私は別に好んで嵐を呼んでいるわけではない。嵐は勝手に向うからやって来るのだ。嵐が来るから仕方なく私は戦う。嵐をよけるすべを私は知らないのだ。私は本当は人が思っているほど勇猛果敢な女ではない。私にはすぐに破れかぶれになる癖があって、その破れかぶれが人の目には勇猛果敢なる烈女と見えるのである。

私の亡父の好きな言葉に「人は負けるとわかっていても戦わねばならぬ時がある」というバイロンの言葉がある。私は父の日記のあちこちにその言葉を見つけた時、大そう感激した。

人は負けるとわかっていても戦わねばならぬ時がある。

実際、私はその通りだと思った。私もそのように人生を歩みたいと考えた。その言葉を発見した時は、私にはまだ倒産の嵐は襲ってはいなかったが、その言葉はやがて私に苦難が襲ってきた時、私の記憶の底から猛然と立ち上ってきて私を導き決断させたのであった。

私は夫の借金を背負ったことをここで自慢たらしくいうつもりはない。私のいいたいことは、そういう一見不幸に見える現象でも必ずしも外から見えるほど不幸ではないということだ。人間の幸、不幸は心の持ちよう一つだということなのである。

結局、私はしたいようにした。私はそう思っている。夫や債権者のためにそうさせられたのではなく、そうしたいからしたのだ。したいように生きている限り、私は少しも不幸ではない。倒産直後の大嵐の真只中で私が元気な顔をしているといって憤慨した債権者がいた。これだけの借金に攻められて普通なら病気になっているところを、あなたは潑剌《はつらつ》としている。どこかに金を隠しているのではないかとあらぬ疑いをかけられた。

その時、私は、

「そんな疑いようをするのは、あなたの人間性が貧しい証拠です」

などと憎まれ口をきいたが、今考えてみるとそんな風に思うのが当り前かもしれないと思う。

私は特殊な人間なのであろうか。私が今、毎日が幸福感に満ちているといったら、人は信じないかもしれないが、事実なのだからしょうがない。その数年、私は毎日、腹を立てたり、ケンカをしたり、口惜し涙にむせんだり、苦しい苦しいと大声でわめいたりして暮してきたが、それでも私は不幸ではなかった。たまにはこんな破れかぶれの幸福があってもよいのではないか。

お忙しい

この頃、私は暇である。

殆《ほとん》ど毎日、のらくらして過ごしている。

早寝、朝寝坊。新聞は二紙に目を通すのがやっとで、後はテレビを見たり、鼻孔の奥に出来ているデキモノを探ったり、夏からまだそのままになっているへちま棚のへちまの、ぶらりと下っているのを眺めたり、老眼鏡を磨いたり、おでんを煮たり、という生活をしている。

それなのに、人はいう。

「お忙しいでしょうね、毎日」

「べつに忙しくないのです」

私がそう答えると相手は一瞬、鼻白んだ気配で、

「でも、昨日はテレビで見ました」

「あのテレビは一か月前にビデオどりしたものです」

と私は説明する。

「でも、いろいろとお忙しいでしょう。新年号の原稿などで」

「いや、私は何も書いてませんから忙しくないのです」

いくらそういっても相手は耳を貸そうとせず、

「でも、方々で拝見してますわ。たいへんだなあ、といつも思ってますのよ」

ガンとして私が忙しいときめこんで譲らない。

〝忙しくないといったら忙しくないのだッ！　この石アタマ！〟

と私はイライラして怒鳴りたくなるのである。

私がそういって怒っていると、ある人がいった。

「相手の人がそういうのはそれを礼儀だと思っているからですよ」

「何ですって、礼儀？」

と私は驚く。

「どうしてそれが礼儀なのよ」

「忙しいでしょうってことは、商売繁昌《はんじょう》でしょうってことなんだから。社交辞令なのよ」

しかしながら私には借金の工面のために忙しかったという経験がある。貧乏だから働きまくらねばならなくて忙しい。睡眠時間五時間。机の前から立つときは風呂、トイレ、食事、来客、外での仕事、それ以外にはなかったという時があった。あの時ならば確かに忙しかった。電話がかかってきて、

「まあまあ、その後はご無沙汰申しあげております。お元気でいらっしゃいますか？お変りございません？　お母さまも？　お姉さまも？　お嬢さまも？……」

と長々と挨拶がはじまるとうんざりして、地震でも起きてくれないかと願ったものだ。忙しいということは、私には情けないことなのであって、それが社交辞令になるとはどうしても思えないのである。

柴刈り縄ないワラジを作り、かつ勉強した二宮金次郎からエコノミックアニマルに至るまで、日本人はひたすら忙しく働くことを身上としてきた。だから忙しくない人は、何だかこうパッとしない人といった価値評価をされる。

私に仕事を頼んでくる人がいう。

「お忙しいでしょうが、一つ、お願いしますよ」

「忙しくはありませんが、仕事はしません」

そう答えると相手は言葉に窮したごとくに絶句した。仕事を断るのは「忙しくて時間がない場合だけ」だという思いこみがあるからであろう。

しかし、人生には「したくないことはしなくていい」という生き方があってもいいのではないか？

（人間は誰のために生きているのでもない。自分の人生を自分ひとりで生きるのだ。繁栄するも、野垂れ死にするも、自分ひとりできめることだ）

だがなぜか人は、したくないからしないとはいわずに忙しいから出来ませんという。

そういえば相手は納得するが、したくないからしないというと、直ちに反問される。

「したくないのはなぜですか?」

そんな時、私はなにゆえ「なぜしたくないか」ということに答えなければならないのか、とふしぎに思う。


ある時、男性が数人で温泉に行った。酒に酔い、浮かれ気分で花街にくり出し、妻ある男も、ない男も一夜を大いに楽しんだ。

ところが中に一人、妻も恋人もいないのに、身をつつしんで、ひとり寝の痩脛《やせずね》抱いて朝を迎えた青年がいた。すると忽《たちま》ちふしぎがられた。

なぜ、彼は女を抱かなかったのか?

「したくないからしなかった」という答は、相手を納得させ難いのである。

「したくないのはなぜか?」

「しようがすまいがそんなこと、オレの勝手だ!」

と彼は怒鳴った。そうして怒鳴ったために、

「ヘンクツ」

と陰口を利かれ、

「もしかしたらインポじゃねえか?」

「おカマじゃねえか?」

とだんだん酷《ひど》くなった。

この数か月、私は小説を書いていない。

「なぜ書かないんですか?」

と訊《き》く人がいる。

「書きたくないから書かないんです」

という返事は傲慢《ごうまん》だということとなれば、

「書けなくなったんです」

という。そういう時、私はインポ、おかまと悪口いわれた前記の青年のことを思い

出した。

まことに現代に生きるとは、難しいことなのである。

東海道カゴかき

私は午前八時に起きて、新聞を読みながら番茶を一杯飲むと、九時に書斎に入って机の前に坐る。机の前に坐るとすぐに万年筆を取り上げる。そうして昨日のつづきがある場合はつづきを、新しい原稿の場合はまず自分の名を書く。

というと、いかにもスラスラと文章が湧き出てくるように聞こえるが、実際はそれは筆馴らしの文章なので、例えば歌手の「ア、ア、ア、アアア、アー」の発声練習のようなもの、あるいは、「本日は晴天なり、本日は晴天なり」のマイクテストのようなものであるから、その時に書いた数枚は後に破棄されるものなのである。

原稿を書き出す前に机のまわりを片づけたり、タバコを吸ったり、ハナゲを抜いたり、奥さんに当り散らしたり、あるいは沈思数刻というようなことを経て、漸《ようや》く最初の一行をポツリと書く――そういう作家の話を聞くと、私は劣等感を味わわずにはいられないのである。出来れば沈思数刻、苦悶《くもん》の汗を滲《にじ》ませ、呻吟《しんぎん》の末に生れ出た珠玉のような言葉で点々と原稿用紙を埋めていきたいと思う。

「本日は晴天なり、本日は晴天なり」

で書き出す私は、何ともカンタンなもの書き稼業の女なのである。これが恥じずにいられようか。

それというのも、私には妙な熱中癖があって、執筆前に机のまわりを片づけ出したりすると、その片づけがやがて部屋の大掃除にまで進展する危険があるのだ。

「原稿？　それどころか！」

という気持になる。家の者に（今は残念にも夫がいないから）当り散らすと、それは次第に膨張して怒りの焔《ほのお》、憤怒の渦を巻き起こし、一週間前のことから、数か月前のこと、更に今はいないモト夫のしたことまで思い出されてシャクにさわり、突如、電話をかけてモト夫を罵《ののし》る、というところにまで進展して、もう仕事どころではなくなるのだ。

このような私は従ってまっしぐらに仕事にとりかからなければならないのである。その前に何かやると情熱がそっちの方へ行ってしまう。

仕事の前に心をなごやかにするべく、庭の花を切って活けましょうなどと思って庭に下り立つと、さあたいへんだ。いつの間にやらシャベルで庭土を掘り起こし、植木の植え替えをやっている、という有様《ありさま》となる。

そこで私の家の庭の樹は茂り放題、草は生え放題、書斎は何やらしらんゴチャゴチャしたものでいっぱい、冷蔵庫も何やらいっぱい、そうでない時はすっからかん、というような状態で、その中で万年筆を三本用意し、ヨーイドンとばかりに書きはじめる。途中でお茶も飲まず、タバコも吸わず、菓子も食べない。

ただひたすら、えっさえっさと書きつづける。執筆五分前もヘッタクレもないのだ。

そんな自分を私は東海道を走る早カゴかきのようだと思う。

偉くなるなよ

北海道浦河《うらかわ》町は人口二万足らずの、太平洋に面する牧場と漁業の町である。そこに夏の家を建ててから、今年で十年になる。十回、浦河で夏を過ごしているうちに、私は漁師の人たちとすっかり仲よくなってしまった。元来が単純な性格の私は、東京のインテリよりも漁師や牧場の人たちの方が気が合うのである。中でも漁師の浜野谷さんは親友である。親友であるから夏が廻ってきて一年ぶりで会った時でも、

「こんにちはア、浜野谷さん」

「いつ来た？　昨日かい」

ですんでしまう。一別来の挨拶などいらない。

私が浦河にいる間、浜野谷さんは時々、思い出したように電話をかけてくる。

「サカナ、あるかい？」

そういう電話だ。

「ある……この間もらったのがまだ……」

「まだあるのかい。そうか」

それだけで電話が切れる。かと思うといきなり坂を（私の家は丘の上にある）ガタガタと車が上って来て、

「カニ持って来たぞ！」

どさりと台所へ投げ出す音がして、慌てて出るともうボロ車が坂を下っている。

そんな生活の中にいると、私は東京の暮しの中でつもった垢《あか》が、剥《は》がれ落ちていくような気がするのである。


ある年の浦河滞在中、私の「幸福の絵」という小説が女流文学賞を受賞した。その報《しら》せを私は電話で受けたが、誰にもいわず黙っていた。漁師の人たちにそんな話をしてもはじまらないのである。

すると翌日の夜、浜野谷さんから電話がかかってきた。

「センセエ、水臭いじゃないか」

という。

「なにがよ？」

「なにがって、何だか褒美貰ったっていうじゃないか」

「ああ、女流文学賞ってやつね」

「なんでいってくれないんだよ、水臭いよ」

浜野谷さんは、祝賀会だといってすし屋へ連れていってくれた。祝賀会といっても浜野谷さん一人が祝ってくれただけの会である。私たちはビールで乾杯した。浜野谷さんはひとりで興奮し、

「たいしたもんだ、女流文学賞ってのは、女流作家で一番てことだべ」

と感心する。

「いや、一番だなんて、そんなことじゃなくてね、今年出た作品の中では、まあ賞を

与えてもいいかなあという、そんな程度のもんよ。女流作家の中で、一番偉い先生たちが選ぶんだからね」

「それでも、選ばれる候補の中では、一番なんだべ」

「一番二番ってね。運動会のかけっこじゃないんだから……ま、そんなことどうだっていいじゃないの」

と私は面倒くさくなった。浜野谷さんは暫《しばら》く黙ってビールを飲み、すしをつまんでいたが、やがてぽつんといった。

「センセ、偉くなるなよ……」

「え？」

「偉くならないでくれな……あんまり」

偉くなるとオレなんかともつき合わなくなってしまうだろうから……そういう言外の気持が「あんまり」という言葉に籠《こも》っているのを私は感じた。これからもよい作品を書いて下さい、がんばってね、という言葉はよくかけられるが、偉くならないでくれというのは、はじめてである。私はその正直な、直情溢れる言葉を決して忘れない。

書くことに支えられる

何もかもいやになって婚家先を出たものの、出来ることが何もない私は、小説家になることを目的に生きようと心をきめた。二十六歳の時である。ものを書くことが特に好きだったわけでもなく、小説家に憧れていたわけでもない。ほかに出来ること、したいことが何もなかったということと、父が小説家だったから、何となくものを書くことを簡単に、身近に考えていたという、その程度の理由である。

見よう見真似で書きはじめた。ほかにすることがないから、毎日せっせせっせと書いている。たまたま私のことを心配してくれる人がいて、小説を書く気なら吉川英治さんを紹介しようといわれた。そこで原稿を持って青梅《おうめ》の吉川邸を訪れた。紹介者の力のおかげか、私は書斎に通されたが、向き合った吉川さんは開口一番、こういわれた。

「小説を書くことなんかやめた方がいいですよ」

私は出バナを挫《くじ》かれた。自分が小説家でありながら、人に書くなとはどういうことだ、と思った。原稿を読んだ上で、お前は才能がないからやめろというのならわかる。原稿に手もふれないでやめなさいはないだろう。書くことは私が選んだことだ。とやかく指図される筋合いはない……。

一瞬そんな思いが胸をよぎったが、勿論《もちろん》そんなことはいえない。ただむきになってこういった。

「私は子供を置いて婚家先から出てきた人間です。これから一人で生きていく上に何か支えになるものがほしい。小説を書くことを支えにしようと思っているのです」

吉川さんの言葉は老婆心からであることを知らなかったわけではない。その頃は小説なんぞ書く人間は「人並みでないヤツ」であり、反世間的なことであり、且《かつ》ものを書くことは孤独と不幸と貧乏の隣り合わせに生きることだという価値観が定着していた。その上で小説家として世に認められる人は才・知・運の三つに恵まれた「選ばれた人」だった。一人の有名作家の陰には累々たる文学青年無名作家の屍《しかばね》が横たわっていたのである。

吉川さんは私の反論を聞いて面倒くさくなったのであろう。小説雑誌の編集長をしていた弟さんに宛てた紹介の名刺を下さった。私はすぐに弟氏に会って原稿を読んでもらい、クソミソにけなされて帰ってきた。

それから十年ほど、クソミソ時代がつづいた。ある時、やっと『三田文学』に掲載してもらった作品は、「あんなものを載せるとは三田文学の恥」といわれた。

しかしいかにクソミソにいわれようと、ものを書くことは私の支えになった。わけもわからず、ただガムシャラに書いた。文壇に名を上げたいなどとは夢にも思わなかった。賞を狙《ねら》ったこともない。そういう栄誉は一切私には無縁の、別世界のことだったのだ。

クソミソ時代の終り頃、私は父の伝記小説を書いた。その中で私の四人の異母兄がそろって不良少年になって父と母を苦しめたことを書いた。私が三十八歳頃のことである。私は子供の頃からずっと四人の兄を批判的に見ていた。兄たちは四人とももとても面白い人で、異母妹の私を虐《いじ》めたりすることはなく可愛がってくれたが、私の兄たちを見る目はいつも父母を苦しめる「困った人たち」という目だった。だから、小説の中でも「面白いが困った連中」としか書けなかった。

しかしこの頃、私はしきりに、あの頃に兄たちが耐えたであろうものを思うようになった。兄たちが、耐えていると思わずに耐えていたものが見えるような気がしてきた。年をとるということのよさは、こういうことに目が向くことだ。そしてまた、そういうことに目が向くのは、私がもの書きとして生きつづけてきたおかげだと思う。

私にとってものを書くことは、人間をより理解するよすがである。何もわからずにものを書きはじめた私は、今、漸く私にとっての書くことの意味がわかった。そうでなければ私は、四人の兄を父を苦しめた存在としてしか理解せずに死んでいっただろう。もの書きになってよかった、と私は思っている。

演説病

十一月末の土砂降りの一日、私は京都にいた。京都まで行けばついでに神戸まで足を伸ばし、旧友と会食しようという約束が出来て、四時頃京都駅へ行った。新幹線に乗れば新神戸まで三十分足らずでいける筈《はず》だ。

京都には母の代から昵懇《じっこん》にしている呉服屋があって、そこの番頭の中山さんとはもう二十年来のつき合いである。京都へ行くと中山さんがいつも世話をやいてくれるので重宝にしている。

この日も京都駅まで送ってもらった。京都駅で新神戸までの切符を買おうとすると、中山さんは、「グリーン車の売場はあっちでっせ」という。

「グリーン車?」

私は眉を顰めた。京都から新神戸まで三十分足らず。自由席で結構だ。

だが中山さんは、自由席みたいなとこへ乗りはったりしたら、みっとものうおますがな、という。

何がみっともない、三十分足らずで行けるところへグリーン車を使うなんて、わたしはそんなヨボヨボじゃないよ、そんな見栄っぱりじゃないよ。自由席でいいの、いいの……。

「そうでっか……けど……」

中山さんはしつこい。

「知ってる人が見はったら、佐藤愛子センセが自由席に乗ってはったといわれまっせ」

それがどうしたというのんや。

「ケチやと思われまっせ」

「あんた、作家の原稿料、なんぼやと思てるの！　十年前からぜんぜん変ってないのんよ！　あんたの売る呉服物とはちがうんよ！」

私は自動販売機で切符を買いながらいった。

「よしんば、私がカネモチやったとしてもですよ、それでも三十分で行けるところをグリーン車に乗るなんて、アホなことはしませんよ！　そういうことを自慢に思うような、そんなナリアガリとはわたしはちがうよ！」

「へえ……」

「この節はグリーン車から先に売れるというやないの。昔なら三等の夜汽車（一番安いヤツ）でガタゴト揺られているのが相応だった若者が、この節はでかい顔をしてグリーン車でふん反り返っている。そんな手合いとはわたしは精神がちがうんよ。中山さん、あんたはわたしをケチやと思てるのやろけど、わたしはタダのケチやないよ……」

「へえ、すんまへん」

「わかったね、そんならサヨナラ」

丁度入ってきた「ひかり」に飛び乗った。べつに飛び乗らねばならぬような状況ではなかったが、つまり長台詞《ながぜりふ》をいい捨てた時の昂揚した気分が私をして飛び乗らしめたのである。

中山さんは私の演説癖には馴れているから、ニコニコとお辞儀をしている。「ひかり」は新大阪に停車し、間もなく動き出した。

大阪神戸間はせいぜい十分ほどの距離である。ところが「ひかり」は一向にスピードをゆるめない。あっという間に新神戸を通過してしまった。

「ひかり」にも新神戸に止らないのがあったのだ。

一刻も早く友達に電話をしなければ、待ちぼうけを食わせてしまう。私は慌てて電話室へ走った。電話室の前には、二、三人の人が立っていて、電話線は塞《ふさ》がっていてかからないのだという。それでも根気よく電話室と席との間を行ったり来たりしているうちに、前の座席の男性が声をかけてきた。

「佐藤愛子さんやありませんか?」

「はあ、そうですが……」

「電話をかけるのなら、これを貸しますが」

と携帯電話を渡してくれた。

「ありがとう、ありがとう」

と大感謝して友達に電話をかけた。友達はまさに家を出ようとして靴を履いていたという。危機一髪のところだった。

電話のやりとりを聞いていたその人は事情を知って、岡山から新神戸へ戻る次の電車の時間を調べてくれてからこういった。

「やっぱり佐藤愛子さんやったんですねえ。はじめ、佐藤愛子さんとちがうかなあ、と思たんですけど、佐藤愛子さんがまさか自由席に乗らはるとは思えませんのでね、似てはるけど、他人の空似かなあと思てましたんです」

「わたしが自由席に乗ったらおかしいですか?」

「べつにおかしいということはないですけど、有名人はやっぱりグリーン車に乗られますでしょ」

有名人！　私はこの言葉が嫌いだ。

「そんなね、あなた、有名人なんて。偉くもなければ金持ちでもないんですよ。何かの弾みで名前が知られるようになっただけで、それだけのことですよ。名前や顔が知られてるというだけで僅か三十分のところをグリーン車に乗る……それを有名人の誇りにしている……バカげた意識だと思いませんか。だいたい小説を書く人間なんてもともとロクなもんじゃないんです。世間の常識ルールに従ってうまく協調して生きて行けないからもの書きになってるんでしてね……」

「あの、岡山に着きましたが」

男の人は遠慮っぽくいった。

「ここで降りそこなうと広島まで行ってしまいます」

「あっ、すんません、ありがとう」

私は慌てて降り、ふり返ると男の人はニコニコと手を振っていた。

後日、呉服屋の中山さんは事情を知ってこういった。

「結局、グリーン車買うた方が安おましたなあ。結局、損しはったやおませんか」

あれほど演説しているのに、中山さんは私がケチをしたのだと思いきめているのだった。

2章

【私好みの〈女の背ぼね〉50～70代】

適当に賢く、適当にヌケている

もしも私が男だったら

たいていの男性は敬遠するだろうが、私は気の強い女性が好きである。だから奥さんを持つとしたら、やっぱりそういう女性がいいと思う。

私が閉口するのは、失敗や気に入らないことが起きると、いつまでもメソメソと愚痴をこぼしたり、自分の愚かさを棚に上げてひとのせいにしたりする女性で、それに較べれば怒りに委《まか》せて茶碗を投げたりする方がよっぽど話が簡単でよろしい。メソメソグチグチ型は梅雨の雨だれみたいにいつまでもつづくが、茶碗を投げる方は、経済上でもエネルギー的にもそういつまでも投げつづけているわけにはいかないから、間もなく静かになる。カッと来てサッと終る。少なくとも私の好みに合っているのである。

次に私があまり近づきたくない女性は「上流好み」というやつである。本格的な上流ではなく、もとは我々と同じ氏育ちであるのに、何かのことで金持ちになったからといって、急に上流意識をふりかざすという家庭に育った娘は私の女房にはしたくない。例えば、そういう家庭では、

「やっぱしワインは何とか何とかでなくちゃあ……」

「何とかの何とかワインには何とかの何とかチーズでなくちゃ合わないのよ」

というような会話を日常会話として交されて、夫たる私には不愉快である。というのは、私は「ワインは何とかの何とかワインでなくちゃ」などとは思っていない人間であり（第一、その何とかワインを飲んだことがない）、また、よしんばそうであっても、そういうことを得意顔にいったりするのはイヤである。どんなワインでも（たとえどんなにまずくても）平気で黙って飲む、そういう女性が私は好きだ。

通《つう》ぶる人間は通ではない、とかねてより私は思っている。ほんとうに感性が豊か、一応の知識は持っているのだが、それを人前にひけらかさないのが教養というものではないだろうか。

ということは、いい替えれば夫である私よりも、すべてにおいてエラくては困る、ということだが、とはいうもののあまり無知無教養も興ざめである。適当に賢くて、適当にヌケている。たまには、

「なんだばか、そんなこともわからんのか！」

と叱って、

「ごめんなさい。もの知らずで……」

と謝らせたい。

「あなた、そんなこともわからないの、どうして、こんなことになるのか、考えつかないの？　しっかりしてちょうだいよ」

と年中やられて、それに抗議出来ないくらい女房のいうことが非の打ちどころない正論であったりしては、家庭生活、面白くないのである。

適当に賢く、適当にヌケていて、そうしていざという時に気丈《きじょう》に頑張る――それが、私の理想の妻である。

例えば深夜、隣家から火事が出た。

「火事だよ、起きろ！」

そういう声が聞こえてくるや、ガバッとはね起きて、手早く身支度をし、

「あなた、子供を頼むわ。私は貴重品を持って逃げるから……」

風呂の残り湯をざぶりとかぶって猛火の中、貴重品どころか箪笥《たんす》まで担ぎ出した……。

というほどには頑張ってくれなくてもいいが、とにかく危急の際には足手まといにならず、安心して一緒に戦ってくれる妻であってほしい。アメリカ映画などを見ていると、船が沈没しかけたりすると、右往左往してキャアキャアと泣き騒ぐばかり。正気づかせるために男はいきなりホッペタを殴ったりしているが、いくら映画の中のことだと思っても、その女たちをミナ殺しにしたいほどにムカムカしてくる私である。

現実に災厄が身にふりかかってきた時に、泣くしか能のない女房、夫がちょっと胃

痛を訴えただけで泣きベソかいて、癌《がん》ではないの、癌かもしれないと騒ぎ立てて肝腎の病人の神経を苛立たせるような甘ったれは、たとえどんなに美人、おとなしくて優しいいい女であったとしても私はご免こうむりたい。

今日は夫の機嫌が悪いが、どうしてこんなに不機嫌なんだろうと心配した奥さんは、あれこれ原因を探る。

疲れているんだろうか。体調を崩しているのだろうか。

それとも仕事がうまく行っていないのか。イジワルの上役にまた虐《いじ》められたのか。

それともマージャンに負けたのか。飲食の借金が溜まっているのか。

おかずが気に入らないのか。ヘアスタイルがよくないのか……。

あれこれいくら考えてもわからないので夫に訊く。

「いったい何が気に入らないんです？　いって下さいな、ねえ……」

しかし、いくらそう訊かれても、これこれこういうことのために不機嫌なんだよ、とはっきりいうことが出来ない不機嫌というものがあるものだ。いえないから——い

えないのをいわせられるから、よけい不機嫌になる。だからそっとしておけばいいのに、

「なぜ黙ってるのよ、ねえ、なぜです？　私の何が気に入らないのよ。いってちょうだいよ、黙ってるなんて卑怯よ！　こんなに私が心配してるのがわからないの！」

だんだん喧嘩《けんか》腰になって、夫の不機嫌は爆発して夫婦喧嘩になったりする。

妻に想像力というものがあれば、そこまで夫を追いつめることもないであろうに。想像力というものは、そういう時にこそ働かせるものであって、夫の浮気や色ごとの方面には鈍感でいる方がよろしいと私は思うのだが、どんなものだろう。

名文を食べる

あるデパートの地下食品売り場で小ぶりのシャーベットが目に止ったので立ち止った。そこには中年女性の先客がいて、店員にシャーベットを包ませながらいっていた。

「ここのシャーベットは大きさといい、酸味といい、和食のデザートにとても合うのよね。フランス料理の時は×屋のアイスクリームが合うんだけど……今日はお客さまなんだけど、和食のおもてなしをするのよ」

そばに立っていた私は何となく「ふン」と鼻を鳴らしたいような気がした。和食にはシャーベットの味が合い、フランス料理にはアイスクリームが合うといったからといって、なにも鼻を鳴らすことはないじゃないかといわれるだろうが、要するに私はそういう人間なのである。料理は文化ですわ、芸術よ、なんていうのも嫌いだ。私には料理について語る資格がないのである。

といって、どんな味つけのものでも感謝してパクパク食べるという方ではない。味の好みに片よりがある。

だいたい人の作ったものは気に入らない。他人は何と思おうと、自分で作ったものが一番うまいと思っている。

料理のレパートリーはそう広い方とはいえないので、季節の移り変りに合わせて一年中似たようなものを食べているが、飽きたと思うことは一度もない。

しかしたいていの人が、くり返し同じようなものを作り、その自分の味つけが気に入って飽きずに食べているのであろうから、べつに私は人より味つけがうまいと自慢しているわけではないのである。

私は、だから、どこそこの何がうまいとか、こういう料理がおいしいなどと推奨している文章を読むと何となく憮然《ぶぜん》とした心境になる。

「パンはフランスに限りますわ。あの独特の香ばしい匂い……外皮のパリパリとくる何ともいえないあの歯ざわり。中がまたフワーッとやわらかくて……」

とか、

「××亭のあのスープのデリケートなお味！」

などと感激に潤んだ声でいわれると、憮然を通り越して不機嫌になり、

「うるさいな、そんなにうまけりゃ、持って来い！」

と怒り出したくなる。他人のノロケを聞かされているのと同じで、いくらうまいうまいといわれても、嬉しくも何ともないのだ。


田辺聖子さんに「無芸大食」という短編小説がある。

子供をほしがっている男が子供が生れないので妻と離婚し、二度目の妻を娶《めと》った。だがその妻も子供が出来ない。そればかりか食べてばかりいる。しかも彼女は下品な（安モノの）食物が好きなのである。

例えば彼女は市場で売っているコロッケが好きである。また市場のてんぷら、卵やきも好きである。

「安アブラでギトギトしたコロモのぶ厚いのをソースにつけ、唇をアブラで光らせてご飯のおかずにする。コロモにソースが染みてやわらかくほとび、グジャグジャになって、アブラの甘味だけが舌にくる――」という市場のてんぷら。

「まことに中のじゃが芋の味つけがおいしくて、ヘットで揚げてある外のコロモも申し分ない。肉らしいものは何も舌に当らず、わずかに『コリッ』と何か一粒、スジ肉の端キレのようなものが歯に当り、申しわけのヒキ肉かもしれないが、オーブントースターで熱くして食べると、いい匂いが立って美味しい――」というコロッケ。

「あんたソースか」

「あたし、醤油でいただきます」

と嫁と姑が仲よくその安モノのコロッケを食べる件《くだり》に到ると、安物のてんぷら、コロッケが新しい生命を吹き込まれて生き生きと我々の前に現れ、つい、

「うまそうだなア……」

という気持になってくる。そうして、

「（彼女は）下品な食物を下品に食べるのが好きである」

という一行の文章に会うと、本当に「下品な食物を下品に食べる」ことこそ、食通の極致という気がしてきて、コロッケ買いに市場に走り、唇をアブラで光らせて食べたくなるのである。

実際は食べてみて、「なーんだ、うまくないや、欺《だま》されたア」ということになるのかもしれないが。

こういう名文でうまそうなものを食べるのは、実際においしいものを食べに廻るよりも嬉しいものだ。第一、うんと安くつく。

ケチ道《どう》を歩む人

上坂《かみさか》冬子さんとはじめて会ったのは、昭和四十八年のことである。あるスポーツ紙のインタビュアとして私は上坂さんに会いに行ったのだ。

私のインタビュー記事によると、その時、上坂さんと私はこんな会話を交している。

上坂「私の辞書には疲れという字と遊びという字はないんです。ただ勤勉という字と貯めるという字があるだけです」

私「何年間、貯めぬかれましたか？」

上坂「そうですね……およそ使ったという経験がないですから」

ＯＬ時代、勤続十三年で七万四百円の退職金を貰ってやめた。その端《は》シタの四百円を使うか使うまいかに思い迷った末、

——ここで使ってはならぬ！

と自らを戒めて決然と貯金したそうである。このインタビューをした時から、私は上坂さんに好意を抱くようになった。例えば同性愛者がすれちがいざまの一瞥《いちべつ》で、互いに同類であることを嗅ぎ取るように、浮気男がスキモノ女を見抜くように、私は上坂さんの中に私と同じ血が流れているらしいことを感じたのであった。

その第一がケチの性《さが》である。

次が直情径行《けいこう》、喧嘩好きの性である。

そしていいたいことをいう、人が何と思おうと、いわずにはいられない性である。

インタビューの時、上坂さんはこんなこともいった。

私　「何かに狂ったたってことないんですか」

上坂「一度だけありますよ。一人の男に」

私　「なぜ結婚しなかったんですか」

上坂「早い話が捨てられたんです」

こういう大胆率直さも私の好むところだ。

上坂さんは確か私より、八、九歳若い。従って私は上坂さんを我が身内、妹分のような気持で見守っていたのだが、『おんなの世渡り』を読むうちに妹分どころか、これは到底私には及ばぬ師として仰ぐべきお方であることがよくわかった。

まずそのケチぶり、「わが誇り高きケチ精神」を読んで敬服したことは、めったに病気はしないけれど、年に二、三回食アタリをするという件《くだり》である。

「原因は大てい『勿体《もったい》ないから食べちゃお』というところにある。アタレば吐き出せばいいし、うまく納まれば儲けものではないか、という考えに基づくものだ」

いや、ここまでくるとケチも大将格だ。私はとてもこういう発想は出て来ない。

『おんなの世渡り』の中で、私が一番興味深く読んだのは「喧嘩こそわがレジャー」の項である。かくいう私は何かというと怒り出す人間として知られ、「怒りの愛子」などという肩書をつけられるまでになったが、六十歳の声を聞こうとする今日この頃は、さすがに気力体力衰えて、怒りに迫力がなくなってきた。今じゃ半分は「怒りの愛子」の看板の手前、義理に怒ってみせる、という体《てい》たらくだ。だから上坂さんの喧嘩ぶりを読むと、そのエネルギーに瞠目《どうもく》し、かつ羨望の思いに駆られずにはいられない。

「原稿書く手は休めても、投書書く手は休めまい」

という上坂標語も私にはただただ感心のほかない。

そういえば、上坂さんから京都の半生菓子を貰ったことがあった。その時は確か、週刊誌の「ケチ対談」という対談の時だったと思う。上坂さんに貰った半生菓子は、すぐには食べずに大事に冷蔵庫へしまっておいた。何しろ京都の有名店の上等菓子である。そのへんに置いておくと、娘や手伝いがあっという間に食べてしまう危険があるのだ。

すると翌日、上坂さんから慌ただしく電話がかかってきた。

「昨日さし上げたお菓子はカビが生えていましたから食べないで下さい」

という電話である。

私は思わず嬉しくなって笑ってしまった。上坂さんはこの貰い物の菓子を、何日手許に置いていたのだろう？　上坂さんは貰ったばかり、というけれど、本当かなあ？一週間くらい大事にしまっておいたんじゃないかしら、などと考えては、ひとりでニヤニヤ笑っていた。この笑いは同類に対する親愛の笑いである。

上坂さんの文章によると、菓子のカビを発見するや、「例の菓子舗にあてて得意のペンをふるった」ということである。

こういう時の気持というものは、決して憤怒しているばかりでなく、怒り半分楽しみ半分、「小躍りする」というような気持であることは同類の私にはよくわかる。

ただ私と上坂さんとのちがいは、私は専《もっぱ》ら怒号を愛好するので、

「何ですかッ！　あの半生菓子は！　カビが生えてるなんて、お店の名前、かつ歴史に対して恥じなさいッ！」

と怒鳴ってガチャン！　怒鳴る楽しみに心奪われてこちらの名前をいうことも忘れるので、お詫びなど届いた例《ため》しがない。その点、上坂さんは水道局、上野駅、タクシー

会社、実にマメに投書して詫状だけでなく、超過徴収分七百円の上にせんべい一箱まで貰っているのは、さすが、というべきである。

ある時、私は上坂さんから、上坂さんのツケで三越で好きな物を買って下さい、といわれた。その金額は万という単位が示されていて私は呆気《あっけ》にとられた。なぜ私がそのような高価なプレゼントを受けるのか、それはあのカビ菓子のお詫びであったのかどうか、よく覚えていないが、私は厚かましくも娘の洋服、私のブラウスなど、ウン万の買物をさせてもらったことだけははっきり覚えている。というのもその時のブラウスをいまだに愛用しているからである。

上坂さんのいうケチとは、こういうケチである。

私はそのウン万円のプレゼントのお返しに、貰いもののグッチか何かの財布をさし上げたのだった。まことのケチとは、上坂さんか、私の方か。

上坂さんはケチ道精神を持ってケチ道を歩む人であり、私はタダのケチである。

贈り物は人なり

あるパーティで二人の学生風の（後で聞いたら学生ではなかったが）若い女の人に話しかけられた。そのパーティの場所は横浜だが、二人の人は浜松から来たのである。それはある雑誌社が読者サービスの目的で催したもので、翌日、私は参加した人たちに話をすることになっている。そういう企画である。

パーティで私に話しかけた二人は、パーティの後でお部屋へ行ってもいいですか、といった。実は浜松で柏餅を買って来てるんです、という。

彼女たちはかつて私が書いた戯文を読んで、私がクッキー嫌いであることを知った。そして二人で、いったい佐藤愛子は何が好きであろうとあれこれ相談した結果、柏餅を買って持って行こうということにきまった。そのお菓子屋の柏餅はおいしいので有名で、それを買うためには朝の四時から並ばなければならないくらいであるという。

「まあまあ、それはどうも有り難う。柏餅は大好きです」

「わ、よかった！」

という次第で、パーティ終了後、彼女たちは私の部屋に来た。

「はい、ではこれを」

さし出された包みを開くと、柏餅が五個入っている。連れて行っていた娘にお茶をいれさせて、皆で食べた。

「うん、これはうまい」

「おいしいですか」

「おいしい、とても」

「よかった！」

何だか私は涙が湧き出てきそうな気持になった。柏餅を貰って嬉し泣きをするというのもカワッテル、と思われるかもしれないが、この五個の柏餅には愛情が籠《こも》っている。クッキー嫌いのウルサがた。何かといえば文句をいうことばかり考えているあのサトウのばあさんに、それでも何か持って行きたい、と思ってくれたそのキモチが嬉しい。果物がいいか菓子がいいか、あの人はどんなものが好きだろう、と考える。好きそうなものは見当がつくとしても、一方に「フトコロ具合」という問題を抱えている。そのフトコロ具合と相談しいしい贈り物を考えるという苦労は、私もしばしば経験しているのでよくわかるのである。

そうしてやっとフトコロ具合に見合うものを考えついた。ただしそれを買うには朝の四時から店頭に並ばなければならないのである。四時に並ぶとしたら、起きるのは三時だ。

それでも彼女たちはそうして買って来てくれた。前日に買っておくと堅くなってしまうから、当日の朝買って、そして新幹線で横浜まで来たのである。

彼女たち二人は流行の衣服を身につけているという人たちではなかった。二人とも身なりはかまわない方、化粧もしていない（あるいはしていたのだが、汗に流れたのかもしれない。その程度の化粧)。話をするとぶっきらぼう。しきりにテレている。緊張のあまり吃《ども》ったりする。男にチヤホヤされるのが嬉しい、というタイプではない。そしてもしかしたら、大勢の友達がいるという方ではなく、二人だけぴったり気が合っていて、他の人たちからは〝カワリ者〟といわれているのかもしれない、という雰囲気がどことなくある。

贈り物というものは、その人柄を現すものである。

「文は人なり」というが、「贈り物は人なり」ともいえるのではないか。「礼儀品格」を重んじる人はそのような贈り物を、「ざっくばらん」が好きな人は、無造作なプレゼントをする。何か「下心」のある人は、その「下心」が見えるように贈り物に工夫を凝らすし、見栄っぱりは高価なものを選ぶし(紙の箱ですむものを木の箱にしたりする)、単に形式だけを考える人は通りすがりに見かけた菓子屋の、待たなくてもすむように既に包装をして積み上げてあるやつを、簡単に買ってくる(クッキー嫌いの私としては、クッキーはそのようにして買われてくるのにちがいないと妄想する)。

たった五個の柏餅。ミミッチイことをいうようだが、そのうち二個は彼女たちが食べているから、実質的に私が貰った三個の柏餅。

この柏餅に籠った愛情を私は決して忘れないだろう。

料理も人なり

料理が好きかと訊かれると、ためらわずに好きですと答えるが、上手かと言われると答に詰まる。

私は美食家でも食通でもない。食べることにそう情熱がある方ではないが、料理をして人に食べさせるのは好きである。しかしだからといって自慢出来るような凝ったものは作れない。まずそういった料理好きなのである。

だから自分の料理がおいしいかおいしくないかはよくわからない。だいたい、ひとの家で飯を食って、これはどうもうまくないですね、などという人はいないから、たいていの人は褒《ほ》める。しかし褒められたからといって安心はしていられないのである。

帰り道で、

「いや、あの料理をうまいうまいといって食うには努力が必要でしたな」

「うまいというと喜んで、ではお代りをどうぞ、といわれた時は目の前がまっくらになりました」

「しかしあなたはよく頑張りましたよ。私はついに残しました……」

などという会話を交されているのかもしれないのだ。

私の料理（つまり味つけ）がうまいといって褒めちぎる人に川上宗薫《そうくん》さんがいる。この人は美食家、食通として知られている人であるから、川上さんが褒めるのですからやっぱりホンモノでしょう、などという人がいるが、川上さんが私の料理をうまがって食べていた頃は、お互いに売れない小説を書いていた頃という、生活背景を考慮に入れなければならないだろう。貧乏している時というものは何を食べてもうまいのである。

その頃は北杜夫《もりお》さんも時々私の家で食事をしたが、彼はこういって私の料理を批評した。

「ちょっと見にはご馳走のようだけど、よく見ると安い材料ばっかり使っていますねえ」

うまいともまずいとも、そういう言葉を使わずに、こういう批評をされると、
「その通りでございます」
というしかないのである。それ以来、私は北杜夫さんを食事に呼ぶのはやめたのだったが、考えてみるとその頃の北さんは、親がかりだったから、川上さんよりも上等のものを食べていたということなのであろう。

そんなわけで、雑誌などから、自慢の料理を紹介してほしいと頼まれると困ってしまう。実をいうと私の自慢は何よりも「早い」ということなのだ。だからその自慢は雑誌では紹介できないものである。

テレビなら紹介出来るだろうが、三十分番組に収める筈《はず》の料理が十分で終ってしまっては、残りの時間の始末に困るのである。

料理で大切なことは、手早さであると私は考えている。炒めもの、揚げもの、茹でもの、さっ、さっ、さっ、とやってしまわなければ材料が死んでしまう。

特に私のように仕事に追われている者は、仕事の合間を縫って料理をするのであるから、疾風怒濤の勢いであるといってもいい過ぎではない。下拵《したごしら》えも調理も、
さっ、さっ、さっ、
ぱっ、ぱっ、ぽっ、
目にも止らぬ早わざでやるものだから、娘や家事手伝いはいつまでも覚えられない。娘がのたのと下拵えをしているのを待っているのが辛《つら》いので、
「どれ」
包丁を取って、タ、タ、タ、とやってしまう。
「そんなに早くやるから覚えられないのよう」
といわれて、教えながらゆっくりやっていると、イライラしてきて味つけに失敗したりするのである。
料理で最も難しいのは火加減である。料亭へ行っても魚の焼き加減が気になる。私自身、まだ一度も魚を上手に焼いたオボエがないのだ。だから焼魚が完璧に上ってい

るのを見ると、調理場に向って手をついて、

「恐れ入りました」

深々とお辞儀をしたくなるのである。焼魚だけではない。野菜の炊き合わせや麺類の茹で方も難しい。ある時、ある奥さんの家へ、友達につき合わされて立ち寄ったことがある。あの奥さんは美人だけど、旦那さんの人が善いのをいいことに、もう何年も浮気ばっかりしているのよ、という噂を聞いて、それは怪《け》しからんと内心、憤慨しながら訪問したのである。

ところがこの奥さんの作った中華五目そばのうまいこと！　だしのとり方、味つけも上々なら、何より麺の茹で方が申し分ない。中華料理店へ行っても、ボーイの都合で調理場で出来てからテーブルへ運ばれて来る間の時間によって、うまかったりまずかったりすることがあるが、その家では台所からすぐに客の口に入るように運ばれて来るので、専門店以上の出来なのである。

忽《たちま》ちひそかなる心中の憤慨はかき消えて、この時も、

「恐れ入りました」

改めて挨拶したくなった。

「やっぱりねえ、ご主人の目を忍んで浮気をつづけてバレない人というのは、気働きがあるんでしょうねえ。どっか冴《さ》えてるのねえ……」

と、妙なところで感心したりする有様。これがもし、どろっと伸びた中華そばを出されたとしたら、

「亭主を欺して平気でいるなんて、だらしないのよねえ。それが中華そばにも現れているわ……」

なんていっているところだ。そこが料理というものの怖いところなのである。

人間の魅力

「人はどのようなところが好かれて、どのようなところが嫌われるのか」という設問を前にして困った。

あなたはどんな人が好きか、どんな人が嫌いかと訊かれたのなら答えることが出来るが、「人は」と一般論でこられるとこいつは難しい。

というのもこの私は世間のお方とは価値観、生活感覚、何かにつけてちがうらしいことが次第にわかってきたからで、私が魅力を感じる人、好きだと思う人を必ずしも「人」が同じように感じるかどうかに自信がないからである。

しゃれや冗談を連発してあの人は愉快な人だ、面白い気のおけない人、頓智《とんち》のある人だと好かれている人がいた。ちょっとした寄り合いなどでもその人がいると座に活気が出るので人気がある。だがある時、私はその人気者と大阪行きの新幹線の中で隣り合わせることになり、東京から三時間近い車中、その人の連発するしゃれや冗談につき合わされてヘトヘトになった。

その人にしてみれば三時間の道中、私の退屈を紛らせねばという使命感（？）に燃えて、特技のしゃれ冗談に精魂込めたのかもしれない。それはその人のサービス精神であろうから、折角《せっかく》のサービスを怒るわけにはいかないのである。仕方なく笑っている。

静岡あたりまでは元気よく笑っていたのだが、名古屋までくると笑う声に力がなくなってきた。京都附近では笑うよりも殆《ほとん》ど腹を立てている。というのも、その人のしゃれ冗談は私には少しも面白くないのである。

「ふン、そんな程度の低いしゃれに笑えるか」

という気持で、

「フフフ」

口先だけで笑っていた。この口先だけの気のない笑いがわからぬか、といいたいのを我慢して。

後日、友人に「この前、新幹線で例のしゃれ好きの人と乗り合わせてねえ」と話し出したら、友人はいった。

「それはよかったわねえ。面白かったでしょう。あの人は楽しい人だから、みんなに好かれているのよね」

私の方はもう彼の顔を見ただけで逃げ出したい心境である。

こういうことがあるから、人間についての論評は難しいのだ。多勢に無勢。彼は人気者なのに私は逃げたくなる。これは多分、私がいけないのだ。協調性がないのがあんたの欠点だと友人からいわれた言葉が浮かんできたりしたのだが、別の日、別の友人と会ったら、その人はこういった。

「いやァ、××のやつ（しゃれ好きの人）とゴルフを一緒にやったんだけどね、はじめから終りまでくだらん冗談ばっかりいってね。それの相手をしているうちに調子が狂っちゃって、まったく、あいつの下手な冗談はアタマにくるよ」

途端に私は嬉しくなり、それまでそれほど親しくなかったその友人に対して急に「親友」のような気持を抱いたのであった。

冗談好きの彼が真に「魅力的」になるには、まず自分の冗談がすべての人を喜ばせているという思いこみを捨てる必要があると私は思う。彼は冗談上手の自分が気に入っている。人にサービスをしているつもりで、己のサービスに溺《おぼ》れ、笑ってくれている人たちからサービスをしてもらっていることに気がつかないでいる。そんな自分に客観の光を当てることが出来たなら、その時から彼は時と場合と相手を選んで適度のサービスをする真に魅力ある人になるのであろう。

人に好かれる、嫌われる、といっても時と場合、条件による。相手によるのだ。

「あの人、とってもいい人なのよ」

と実に簡単にいう人がいるが（なぜか女性に多い）私はあまり信用したことがない。

「いい人」とはあまりに漠然としていて、どういう人なのかよくわからない。それは多くの場合その人の「印象」にすぎないからで、そのうち、この前までは「いい人よ」といっていた同じ人が、「あんな人とは思わなかったわ」と簡単に意見が変っている。同様に「あの人、みんなから嫌われてるので私も大嫌い」などという言葉にも耳を傾けたことがない。なぜ嫌いなのか、そのわけを聞いてみると、他愛のないことばかりで（指輪の数を自慢したとか、息子がストレートで東大へ入ったことをハナにかけてるとか、自分を美人だと思って気取ってるとか……）どうも嫌われている人よりも嫌っている人の方が私には小うるさい人のように思えて敬遠したくなるのである。

私は心の広い人に魅力を感じる。どんな場合でも鷹揚《おうよう》に笑っていて、むやみに興奮しない、人を大きく許せる人が私は好きである。というのも私自身、心が狭くてすぐ興奮するタチなので、人間は自分にないものを持っている人には憧れを抱くものなのだと思う。

その一方で私はファンだと自称する人から、「佐藤さんの夕立のような怒り方が大好きです。よくぞいってくれた、怒って下さった、と胸がスーッとします」というような手紙をよく貰う。

とすると私の大欠点で、多くの敵を作っている「短気」「喧嘩好き」に魅力を覚える人が世間にはいるわけで、それは私にあってその人にはないもの（いいたいことがいえない）のためなのである。「怒りたいのに怒れずブスブスとくすぶって」いない人たち、そうむやみに腹の立つことがない人たち、たしなみのある人たちにとっては、私のような女はどうしても許せぬ下品な女になるのである。

「周りの人を引きつける魅力」とはどのようなものでしょうか、といわれても、優しさであるとか心配りであるとか、快活さ、明るさ、機智《きち》、信頼感とか、抽象的な言葉は幾つでも出てくるが、ほんとうの魅力というものは機微に属するものなのである。ハウツーで身につけるものではなく、その人のキャラクターと人生経験の多寡によって自然に醗酵《はっこう》して身についていくものであろうと私は思う。

若い女性の間ではよく理想の男性の条件の第一として「優しさ」が挙げられている。優しさとは人の気持がわかることであり、人の気持がわかるということは、喜怒哀楽のさまざまを経験することによってしか、本当にはわからないものだ。

ある偉いお医者さんが癌になって手術を受けた。その時はじめて、病人のいうにいえぬ切ない気持がわかった、それまで自分が持っていた患者への優しさは、医師としての職業的な優しさにすぎなかったことがわかった、と述懐しておられるのを読んだことがある。

経験というものはそれほど強い力を持っているものなので、だから経験をうかうかとやり過ごしてしまう人は、どこまでいってもそれが魅力にまで醗酵していかないのである。

人の好き嫌いの殆どは、相性というものだと私は思っている。相性が悪いということは、感受性がちがうということだ。多くの人に好かれる人は一般向きの感性の持ち主だともいえるのではないだろうか。個性が強い人は人から好かれる率は低いかもしれない。しかしだからといってその個性を殺して、人に好かれるように努力しなければならないというものでもないと私は思っている。好かれるためのとってつけたような努力をわざとらしく感じて疲れる人もいる。

「ありのままでいいんですよ。あなたの自然でいいんですよ。人生経験を大切にしていれば、自然に魅力がそなわってくるものですよ」

と私はいいたい。

そんな私はあるいは与えられたこの設問に答えるには、不適当な人間なのかもしれない。

3章

【夫婦関係の〈女の背ぼね〉40～60代】

慢性の病気を克服していくように

悪妻の弁

私が「ソクラテスの妻」という悪妻小説を書いて間もなくのことである。ある日、ある所で、私の友人が私の姿を見かけ、その連れに向ってこういった。

「あすこにいるのが〈悪妻〉の佐藤愛子よ」

と。すると彼女の連れはそくざに、

「なーんだ、普通の人じゃないの」

といったということである。悪妻の小説を書くような女は、プロレス並みに髪をさかだてててでもいれば「なるほどね」とうなずいてもらえたのだろうか。

テレビなどに出ると必ずあとで方々からこんなことをいわれる。

「せっかく楽しみにしてたのに悪妻らしくなくてがっかりしました」

私は元来、非常に神経質な人間である。この春から、子供が幼稚園に行きはじめたのだが、昼ごろになって「ただいま」という声が聞こえるまでは、机に向っていても、どうも落ちついて仕事ができない。いつまでも送り迎えをしていては自立心が生れないと思う心と、仕事のためには送り迎えをつけて、心を乱さずに仕事をした方がよいと思う心とがかわるがわるに出たり引っこんだりしているのだ。そんな困惑を人に話すと、忽ち、

「へえ！　まあ、あなたでもそうですの！」

とやられた。悪妻である私は人並みの顔をしているといっては失望され、子供の心配をしたといっては仰天される。困ったものである。

どうして人間は、こう自分勝手に作り上げたイメージで人（あるいはものごと）をきめたがるのだろう。「結婚前は、こんな人とは思わなかった」などといって、ダンナさんのことを憤慨失望している奥さんなどもよく見かけるが、よく考えてみると、それはダンナさんが豹変《ひょうへん》したのではなくて、奥さんが自分勝手にダンナさんをこうい

う人間だときめていただけだったのかもしれないのである。

人間というものは、決して血液型のようにきめることのできるものではない。目じりが下っているからといってお人よしとは限らない。つり目のお人よしだっているのだ。きょう非行少年だったからといって、あすも非行少年とは限らない。また非行少年だからろくでなしのいいとこなしとも限らない。と同時に最高学府を出たからといって、必ずしもすぐれた人間とはきまらないのである。

人はみな、善にせよ悪にせよ無限の可能性を持って生きている。それが人間の面白く、またすばらしいところだと私は思う。自分をも含めたあらゆる人間の可能性を信じて、我々は生きていきたいものだ。もっと自分の心をからっぽにして、星を見るように、草や花を見るように、自由で虚心な目で人を見たいものだ。頭で考え判断を下すことではなく、それぞれの人のあるがままのありかたをそっくりそのまま受け入れたいものだ。

たとえ悪妻が、夫のために涙する時があったとしても、べつだん驚いたり感心したりするには当らないのである。

キリキリまい夫人

月に二千円ずつ貯金をしようと思いきめた奥さんがいた。それを実行しはじめてから何か月かたって、貯金通帳を見るのが奥さんはたのしみである。

ところがある月、夫の身内に不幸が起きてそのために出費がかさばり、貯金が出来ないことになった。すると奥さん、カッとなった。

「せっかくここまでひと月も欠かさず貯金して来たのに、××さんのためにメチャメチャにされてしまったわ！」

とご亭主に向って激怒した。貯金の金が全部なくなってしまったわけではないのだ。ただ一か月、ぬけただけなのだ。だがご本人はもうすべてがうちこわされてしまったように思いきめ、怒りに怒るのである。

この話は何でもない、ありふれたさ細な出来事である。しかし私たち女のまわりには、これに似た出来事が案外、満ちているような気がする。

たとえば教育ママといわれ、ジャーナリズムから攻撃されたりからかわれたりしている一部の現象も、本質的にはこの貯金の話に似ている。子供の成績がクラスの三番以内でないと、その子供の人生にヒビがはいってしまうかのように思いこむ人がいる。このごろの若いおかあさんの中には育児書と首っぴきで、赤ちゃんの体重、身長が育児書どおりでないといって悲観してノイローゼになったりする人がいるという。

どうしてそんなにムキになるのか。どうして、こうときめた以上、こうでなければならない、と思いきめるのか？　ちょっと視点をずらして頭に風を入れると、赤ん坊の体重も、子供の成績もたいした問題でないという気がしてくるものなのだが、その視点をずらすという、男性にはきわめて簡単なことが、女の場合はなかなか出来にくいのである。

全く女は生まじめである。その生まじめさで一所懸命、家庭作りに邁進《まいしん》する。家計のやりくりをし、住居を住み心地よくし、貯金をし、亭主を出世させ、子供を一流大学へ入れたいと思う。その現実を作るべく必死にムキになる。自分は買いたいものも買わず、行きたいところへも行かず、かくのごとく夫、子供、家庭のために尽くしているという自負が、その活動に勢いをつける。

「あたしはこんなに一所懸命にやっているのに……」

という言葉が何かにつけて出る。そういわれればまことにそのとおりなので、はたの者も黙って、それを聞いているよりしかたがない。

「あたし一人キリキリまいさせて、あんたたちはなによ！」

と怒る。しかしキリキリまいは彼女の勝手であって、いうならば好きでやっていることなのだ。好きでやっているキリキリまいにおつきあいを強要されるはたの者は、気の毒とよりいいようがないのである。

女房のやきもち

嫉妬にもいろいろあるが、世の中で最も愚劣な嫉妬は女房のやきもちだといった人がいる。そういうことをいう人はもとより男性で、しかも夫としてよからぬ振舞いの多い人にちがいないのだが、彼にいわせると女房のやきもちの愚劣さは、事実のあるなしにかかわらず猜疑《さいぎ》、妄想にかられてやきもちをやくことにあるという。

そういわれてみると、なるほど私の身近にも夫の帰宅時間が遅いとすぐに浮気と結びつける奥さんがいて、翌日は旦那さんのワイシャツの匂いを嗅ぎ、ハンケチを調べ、マージャンをしたという友人宅へ確認の電話をかけるというさわぎ。私も女房族のハシクレであるから女の猜疑心の始末の悪さについては経験がある。ああではないかと思い、こうではないかと思い、あれこれ想像をたくましゅうしているうちに、それらすべてが事実のように思われてくる。やきもちの苦しさは、事実を完全に掌握した時よりも、猜疑心が無から有を、シロからクロを見出さんとして跳梁《ちょうりょう》する時であろう。

相手が事実無根をいい張ればいい張ったことが怪しく、いい張らねばいい張らぬでそれまた怪しからぬと思う。その時の女の心の中には、自分が作り上げたさまざまな仮構が入り乱れるのだが、ふしぎなことはそれが妄想であってほしいと願うよりも、事実であることを殆《ほとん》ど期待しているかのような情熱が溢れている。

「隠してもわかっているのに、どうして空っとぼけるのよ。なぜ正直にいわないのよ、さあ、いってごらんなさい、いいなさい……」

と詰めよる形相のものすごさ、あるいはふくれて四日三晩も口をきかない。何もしなくてもこんな目に遭うのなら、いっそした方がソロバンに合うといって、浮気をした旦那さんもいるとか。見ざるいわざる聞かざるで、何も知らぬのが一番平和なのであるから、この忙しい明け暮れにポケットを調べたり、あとをつけたり、一晩眠らずに夫を詰問したりするのは有害無益のことにはちがいないのだが、それを百も承知でせずにはいられないのが妻心というものなのです。

女房のやきもちは真剣であればあるほど滑稽だ、といった男性がいる。そんなことはわざわざいわれなくても先刻承知のことだ。私はある時、やきもちの焔《ほのお》に燃え立った中年の女性が、公衆電話で夫の姉らしい人に向って怒鳴っている後ろに立っていたことがある。

「何です。あんな男。カバが風邪ひいたような顔して、イロ女を作ることないじゃないです！　えっ、姉さん、そう思いません？　思いません？　えって、思わないのッ、姉さんッ……」

カバが風邪ひいたような男なら、何もそうさわぐこともないではないか、と思うのは他人であって、カバであろうとタヌキであろうと女にとってはたった一人の大切な夫なのだ。

私はやきもちをやいている奥さんを見るとマコトの女がここにいると思う。

やきもちとは全く不合理なものだ。その不合理に身を投じている時の女は悲しく、いとしいマコトの女なのである。

隣の花

何かにつけて自分の夫をよそのご亭主と比較しては、いかにわが夫がダメであるかをいいたてる奥さんがいる。

「お隣のご主人、こんど課長さんになるらしいんですって。あなたより四つも下よ。たいしたものねえ……」

「お向いのご主人、夕飯のあとはおサラ洗いを手伝うんですって。やさしいのねえ……」

「裏の旦那さま、お酒はゼッタイ表では飲まないんですって。うちでビールの小びん一本にきめているんですって」等々……。

いわれた旦那さんは不愉快かみ殺して「ふーん」とか「へーえ」とかいうのみである。

というのも、それらの言葉は、単に隣近所の旦那さんを称賛する言葉ではなく、暗にわが夫への叱咤《しった》激励がこめられているからで、その妻の魂胆を思えば、夫としては不愉快このうえない。しかし当今の旦那さんはみなおとなしいから、

「うるさい、隣は隣、オレはオレだッ！」

と怒鳴りつけるようなことはせず、テレビに気をとられるフリをして「ふーん」と生返事をするばかり。早くこの話題が変ってくれないかとひそかに願っているのである。


ところが案外、こういうこともある。四つも若くて課長になったという旦那さんのいる隣の家では、奥さんが、

「あなたったらなんて情けない人、出世したい一心で、重役のお気に入りの芸者のゾウリまでそろえたっていうじゃないの。なんてまあ……」

と嘆いているし、お向こうでは、

「サラ洗いばっかり手伝ってごまかそうたってそうはいきませんよ、この請求書はな

んです！　甲斐性もないくせに人におごってばかりいて……」

と怒鳴っているかもしれないのである。

よその庭の花は赤いというが、現象だけにとらわれていると、よその花の赤さばかり目に入って羨ましく、自分ほどつまらないみじめな女はいないような気がしてくるものだ。いったん自分をみじめだと思いこむと、

「××さんのご主人、女好きでしょうがないんですって……」

それまではそういって笑っていたのが、

「やっぱりヤリテの人は女にもヤリテよね。女を作れるくらいじゃないと男はダメね」

になっていく。あんまりハッパをかけられるので奮起した旦那さん、それでは奮起の手はじめに、とバーの女をくどいたところ、たちまち奥さん嗅ぎつけて大声一喝《いっかつ》。

「甲斐性もないくせに女にだけは一人前！」

完全無欠の理想の夫など世の中には金輪際いはしないのだ。隣の旦那さんのことは一部分しか見えないが、わが夫は全体が見える。悪い部分もいい部分も見える。悪い

部分の裏側は、ある面からはいい部分かもしれず、いい部分の裏側は悪い面かもしれない。現実というものはそういう形をもっていて、人間はその総和を生きているので、そう考えれば人間の比較ほど無意味なことはないのである。

慢性の病気を克服していくように

ある日、知り合いの若い奥さんから手紙が来て、その最後に一行、「現実暴露の悲哀を感じている今日この頃です」とあった。その奥さんは結婚してまだ一年にもならぬ新婚夫人だったので、私は所用のついでに彼女のアパートに立ち寄ってみた。そしてよく話を聞いてみると、彼女のいう「現実暴露の悲哀」とは、ご亭主が土曜日というと、徹夜マージャンに出かけて行って、日曜日の昼過ぎにならないと帰らないということなのである。

「私はなにもマージャンをやるのが悪いとはいわないわ、折角《せっかく》の土曜と日曜日を、妻と過ごすよりもマージャン友達と過ごす方が楽しいということが、口惜しいのよ、情けないのよ……」

そういう言葉をきっかけとして、彼女は延々数時間にわたって、彼女の結婚に対する夢が、微塵に砕かれてしまったことを嘆いたのだった。サラリーマン夫婦にとって土曜日の午後と日曜日は、どれほど貴重な時間であるか、そしてまたいかに妻はその日を充実させるためにいろいろと楽しいプランを心に練り、その日のご馳走のために倹約をしているか……ところがどうだろう。夫は自分の楽しみだけを追うエゴイストだったのだ。いや、本当に夫がマージャンをそれほど好きなのならば、妻たる者は夫の喜びのために耐え忍ぶであろう。だが本当は、夫はそれほどマージャンが好きというわけではないのだ。夫は誘われると断れない人なのだ。つまり夫は妻への愛情よりも友人の方を大切に思っている男なのだ……。

実際に彼女がしゃべった言葉は、ここに書いた言葉の数千倍にも達していると思う。だが、その言葉の中からは、彼女が持っている結婚生活の理想というものが、「土曜日と日曜日を夫婦二人きりの楽しい時間とする」ということだけであるかのような印象を私に与えたのであった。

「あなたの結婚生活の理想はどういうことにあるの?」

改めて私がそう訊くと、彼女は即座に、

「夫の喜びを妻の喜びとし、妻の苦しみは夫の苦しみとなる、一心同体の夫婦」と答えた。なるほどこれは確かに理想的な夫婦の一つの型にはちがいない。だが、それに近づくということは、米粒を一粒二粒と畳の上に並べていくような、日々の積み上げげを重ねていくということなのだ。まだ米粒が二十粒か三十粒並んだあたりで「現実暴露の悲哀」を感じるのは気が早すぎる。理想というものは、そう一朝一夕に手に入るものではない。結婚生活というものが相対的なものである以上、夫婦が足並みそろえて同一の理想に向うということにはさまざまな困難が横たわっているのだ。

私のところへはいろいろな女の人がやって来て、ご亭主のおのろけをいったり、悪口をいったりして帰って行くが、そうした話を聞いていつも感じることは、女性というものは、目的に対してあまりにも一途《いちず》でありすぎるのではないだろうかという反省である。かつて若い頃、私は百万円貯金などというつまらぬものに熱中するあまり、夫がその貯金の一部を友人に貸したということに逆上して三日三晩夫婦喧嘩をやり、その口惜しさ無念さの、あまりの強さに耐えかねて、以後一切の貯金をやめたという経験がある。どうも女は、何ごとによれ目的を立てるとムキになって邁進しようとする。邁進すると同時に完璧さを求める。完璧を求めると同時に余裕をなくす。大方の女性が夫に対して不満なのは、そうした完璧好きの女性と、完璧に興味を持たぬ男性との、本質の相違にあるような気がする。

「結婚の夢が破れた」と簡単にいう人がいるが、それが破れたかどうかは、その人の結婚生活が中断されてしまった時にいう言葉であって、継続されている限りにおいてはその表現は妥当ではないのだ。理想はそんなに簡単に破れるものではない。それは既に一つの形として存在しているものではなく、日々刻々に築いていくものなのだから、夫が一方的にそれを破ったり、また、理想が勝手にパチンと破れたりするわけはないのだ。

例えば、質素で地味で堅実な家庭を築くことがあなたの理想の輪郭《りんかく》だったとする。夫は特に偉くならなくてもいい、平和で健康で、子供が大勢いて、他人に煩わされない自分たちだけのあたたかい城。あなたはそんな家庭を作ろうと夢みて結婚したのに、夫は案外の派手好きで、友達に金を貸したり、スキーへ行ったり、後輩におごったり、そんなことばかりする。今月は出費が多いので、少し加減しようと思っていたやさきに、ドカドカと酒飲み客を連れて帰って来たりする。従って生活はいつまでも苦しい。建設的な方向に向っている苦しさなら我慢出来るが、これでは毎日が無意味でたまらない――。

そこであなたは、理想が破れたと思いきめて絶望するかもしれないが、絶望する前に、一つこんなことを考えてみてはどうだろう。あなたの掲げた理想は立派な理想ではあるけれども、その理想の中でどこか一部、妥協出来る部分はないものか？　ということだ。あなたの理想の中には趣味的なものがまじってはいないだろうか、現実というものをまだ本当に知らない娘時代の生活の狭さが入ってはいないか？

例えば、他人に煩わされない生活にあなたは理想をおくが、夫の方は大いに友人と親しむ生活を好んでいる。この場合、あなたが妥協するか、それとも夫の好みをあなたの理想の方へねじ向けさせるか、あなたはそのどちらかを選ばなければならないこととなる。その時、あなたはどうするだろうか?

「他人に煩わされない生活」というものが、果してどれだけ大切なものか、それは夫の楽しみを取り上げてまで、うち立てねばならぬものかということについて、あなたはもう一度よく考え直さねばならなくなる。

その結果、あなたの夫への愛情が、掲げていた理想の一角を崩すということになっていくかもしれない。だが、そうなったからといって、「もう、ダメだわ、私は理想を捨てたんだわ」などと思いこむのは思いすごしというものだ。肝腎なことは、結婚生活の中で何が一番大切か、ということをよく見極めることである。

芝生の庭のある家とか、赤い屋根の犬小屋から覗くコッカースパニエルとか、日曜日は家族そろってドライブを、などという生活を理想としていた女性が、学究肌の夫を持って、来る日も来る日も帰宅の遅い夫のために一人で夕飯を食べ、いつまで経ってもアパート住まいで、季節の衣服を新調することもない、といった生活の中で、それまでとちがった理想を見出すこともあり得るのだ。それは妥協ではなく、新しい理想の発見であり建設である。そして彼女をそうさせたものは夫への愛情であり、人生に対する考え方が深まったことであり、失意の中から活路を見出そうとした努力のたまものということが出来るだろう。

娘時代に抱いた理想は、まだ本当の理想とはいえないものだと私は思っている。例えば東京に惚れていた田舎娘が、はじめて東京へ出て来て住みつき、生活をしていくにつれて、次第に「花の都」のイメージが崩れていくのと同じようなものだと思う。「花の都」のイメージを、現実の東京がうち壊したからといって、それは東京の罪だといえるだろうか？　乙女心が現実を知らぬままに作った結婚生活の夢が破れたからといって、それは夫だけの罪だと責めることが出来るだろうか？　例えば、ウソのない夫婦生活とか、いかなる時も信じ合う生活とか、お互いを絶対とし合う生活とか、思いやりの生活とか、理想は数限りなくあるだろうが、実際の夫婦生活の中では、そういう具合に行かぬことが多い。

若い奥さんの旦那さんに対する不満は大ていゝ結婚前のように私を愛さなくなった、とか、ウソをついたとか、私がこれほど心配しているのに、何も説明しないで黙っている、などということだ。しかし現実生活というものは、計算や意志や感情を超えて流れる不如意《ふにょい》や、抵抗や、落し穴に満ちた濁流である。理想が巻きこまれて、姿を消してしまうことは決して珍しいことではない。そうしていつのまにか、多くの夫婦は、新婚当時に掲げた理想の根っこまで流し去られてしまうのだが、根こそぎなくなってしまったということにさえ、気がつかないで惰性で暮していく場合が少なくないのだ。

しかし、こういったからといって、理想など持っても無駄だ、と私はいっているのではない。理想は大いに持つべきものであるし、高ければ高いほどよい。そうしてその理想が結婚の現実の中でもろもろの抵抗にぶつかり、砕けかかっては、またその場所から新しく、ますます強く高い形となって伸びていくのがよい。何度も何度も、失望や後悔や怒りや迷いなどの洗礼を受け、それによって更によりよき形となっていくのがよい。理想の本当の形とはそういうものではないだろうか？

夫婦は一心同体ではない。別モノ二個の人格が寄って、一つの個性ある家庭を作っていくものだと私は思う。女性はまずそのこと（夫婦は一心同体にならなくてはならないものではないということ）を認識した方がよいのではないだろうか？　その認識を身につけることによって、自分だけで掲げている理想を絶対的なもの、動かすべからざるものだと思いきめる考えを捨てることだ。

結婚生活で大切なことは、太陽のように彼方に掲げた輝く理想に向って、高らかにラッパを鳴らし、邪魔モノと戦いつつ、ひたすら猛進することではなく、夫婦が互いに均衡をとりながら、ある時は妥協し、ある時は方向を変え、丁度、慢性の病気を克服していくように、少しずつ理想への足もとを踏み固めていくことだと思う。

別れる資格

恋人と別れたいのにどうしても別れられない、どうしたらいいか、それについて書けというご注文である。どうしても別れられないということは、別れたいという気持がそれほど決定的でないということになるだろうから、それなら別れなければいい、話は簡単だと私のような直情径行の人間は思う。

しかし世の中には、そういう性急《せつかち》な人間ばかりいるわけではなく、どちらかといえば、ああ思いこう思い、いいたいこともいえず、ただ思い惑っている人たちが少なくないということで、編集部はそういう人たちのために役に立ちたいのだそうだ。

しかし私のように「これはダメ」と思うと、パッパッと別れてきた人間には、こういうテーマはふさわしくないのである。どだい、「別れたいのにどうしても別れられない」というそのキモチがようわからんのだ。それがわからぬ者に、どうして適切なアドバイスが出来ようぞ。喧嘩好きの人間には、喧嘩となると逃げ一方という人のキモチがわからないのと同じである。

「弱虫！　なぜ逃げる！」と怒っても仕方がない。

弱虫は弱虫なのである。怪《け》しからんといわれてもそうなのだ。気の優しい人に、キツクなれといって一朝一夕になれないのである。私は数学の低能で、子供の時から今日に到るまで、数（ものの値段、金勘定）に関したことになると、何と人から説教され、怒られ、罵《ののし》られ、損つづきの酷《ひど》い目に遭ってもどうすることも出来ない。別れたいのに別れられない人というのは、このようなものかもしれないと私は想像するのである。

だがそんなことばかりいっていても仕方がないので、なぜ、その人は別れたいのに別れられないのか、その理由を考えてみることにする。

まず第一に考えられることは、その人は気が弱すぎる、あるいは優しすぎるということだ。勿論《もちろん》、この場合、相手の愛情は冷めていないのであって、こっちの気持が冷めつつあって別れることを考えているとは夢にも思っていないのである。この「夢にも思っていない」ということが、この場合ガンなのである。相手の信頼、愛情はゆるぎなく――こっちが揺らいでいるのがわからないくらい自分を包んでいる。その信頼、愛情をいきなり打ち破るに忍びない、その勇気がない、というのが、たいがい気の優しい人が別れられない原因である。

この人は気が優しいために、自分のキモチが冷めてきていることを相手に気取られまいとして努力する。私にいわせるとこの努力がいかんのだ。この場合の努力は気取られまいとするのではなく、少しずつ気取らせていくことに向けられるべきである。

デイトの回数を少しずつ減らしていく。あるいは早く帰ろうとする。むやみに忙しがる。留守が多い。浮かぬ表情をしている……そういうことを少しずつ見せていって、相手にそれとなくわからせるように仕向けていくのである。当然、相手はおかしい、と思うようになる。それから不安を覚える。おかしいと思い、不安を感じているうちに、あれやこれやと考えて少しずつ下地が作られていく。

そうしてあらかたの下地が作られていると話が切り出し易い。

「この頃、あなた（あるいは「君」）どうしたの？　何だかヘンよ……」

と相手が切り出してくれれば、

「実はね……」といい出すことが出来る。この時に気弱さが出て、

「ううん、なんでもない……ただちょっと疲れてるだけ……」

なんて、キレイごとをいいたくなるだろうが、ゆめいってはならないのである。気の弱い人、優しい人の中には、しばしば、「いい人だと思われたい、憎まれたくない、怨まれたくない」という気持の強い人がいる。その上に、別れ話を切り出したあとの修羅場《しゅらば》が怖い、という人もいる。

相手に泣かれるとどうしていいかわからなくなって、抱きたくもないのに抱いてしまい、折角の攻撃の拠点を失ってしまう。あるいはまた、怒り狂われると身が縮まって頭がぼーっとなり、意識が混乱して相手のいうままになってしまう。上司にいいつけられはしないか、告訴されるんじゃないか、コーヒーに毒を入れられるんじゃない

か、などと妄想が広がり、ああもう、そんな修羅場に身を投じるくらいなら、イヤになった相手だけれども、このまま別れないでいよう、と思う――。

そうしていい出しかねてウツウツと日を送っている人は、私に一報してくれれば、「こういうイクジなしとは別れた方がいい」と私が相手に密告して、みごとに別れさせてあげます。

人を傷つけず、また自分も傷つかずに渡れる人生なんてないのである。愛するということも同じである。築いた愛を壊すということは、血を流すということなのだ。当り前のことである。

別れたくなったのは、何のためか。単に飽きただけなのか、相手の欠点が目についてきたためか、それとも新しい愛の対象が登場したためか。理由は何にしても、大事なことは人は常に誠実でなければならないということだと思う。いやになった恋人にも、新しい恋人にも、誠実でなければいけない。誠意をもって自分の気持を説明することだ。その場合、いくら誠意をもって説明しても相手がわからないことがある。

いやわからない場合の方が多い。

しかし、あえてそれをやるのが人生修業というものなのだ。そう思って所信を述べる。もしかしたら相手は混乱し、殴りかかってくるかもしれない。しかしそのゲンコを誠実に受け止めることが、かつて愛し合った者への義務であり礼儀である。臍下丹《せいかたん》田《でん》に力を籠《こ》めて、その拳を受ける——その覚悟を定めた時、その人は別れ話を切り出す資格を身につけたというべく、それが出来ないうちは、別れることは諦めてウジウジとくっついているのがよろしいのである。

離婚の美学

過日、「結婚の功罪」というテーマのシンポジウムに出ることになった。結婚生活の何が功で何が罪《ざい》か。人によっては功になることが別の人には罪になり、罪が功になるということがある。だから功罪など一概にいえるものではないし、そんなこと、語ったところでしょうがないのだが、と思いながら出て行った。

ごく大ざっぱに、結婚の罪の方をいうなら、まず自由がないことだろう。独身者はすべての時間を自分のものとして使うことが出来る。だがその自由の代りに、孤独がある。孤独の中には自由という蜜があるが、同時に緊張を（意識するしないにかかわらず）伴っている。

独《ひと》り居《い》はうっかり病気にもなれないのである。大地震、大火、さまざまな災厄。とっさの判断を一人でし、ひとりで我が身を処さなければならない。いざという時、一人よりも二人で災禍を支える方が楽である。だがその代り、連れ添う者が足手まといという場合もある。メリットとデメリットは表裏一体をなしているのだ。

そのシンポジウムでこんな話が出た。

ある奥さんが離婚を考えた。そして離婚の日を十年先ときめた。今すぐ離婚しては離婚後の生活設計が立たないからである。奥さんは離婚の日を目ざしてせっせと貯金をし、離婚後の生活の支えとなる仕事を身につけるべく精出していた。そして十年経って愈々《いよいよ》念願の日が来た。奥さんは離婚し、今は愛する男性と結ばれてこの上ない幸せを手にしたという。

その話を聞いているうちに私は妙な気分になってきた。十年かかって不幸な結婚生活から脱け出し、今は幸福を掴《つか》んだのだから、何もイチャモンをつけることはないじゃないか、といわれるかもしれないが、何となく面白くない。私は質問した。

「その十年の間、ご主人の収入でその人は生活していたんですか？」

「ええ、そうです」

では十年間、せっせと貯金をしたというその金は、夫なる人が働いて持って帰ってくる収入のうちから出していたということになる……。

「多分、そうだろうと思いますが……」

「それではその旦那さんは踏んだり蹴ったりではないですか。何も知らずにせっせと働いて、奥さんが自分の所から出て行く準備を手伝っていたことになりますね！」

かつて愛したこともある男ではないか。自分を養ってくれた人でもある。そりゃあ人間、日々の暮しの中では、間々嘘をつく。嘘のない人生なんてないことは承知の上だ。だがこういう欺瞞《ぎまん》、夫への侮辱は私は許さぬ。

例えば夫ある身が他の男と恋愛をした。それを夫に隠し、嘘をついて恋人に会いに行く――。この嘘には同情の余地がある。情念に引きずられてのせっぱ詰まった嘘だからである。

この結婚生活を壊したくないという切実な思い、夫を怒らせることへの怖《おそ》れ、男への想いに引きずられて夫を裏切ってしまう自分の罪へのおののき。後ろめたさ。そんなこんなの苦しみがあって、はじめて嘘は許されるのである。

ところがこの奥さんは十年間、夫を欺《だま》しつづけた。十年も欺しつづけたということは、その間に夫とのセックスもあっただろう。楽しい旅の日もあったかもしれない。夫は何も知らない。妻がひそかに裏切りの日を重ね、十年目、貯金が目標額に達した日に出て行こうと計画しているとは……

離婚しようと心に決めるについては、それなりの事情があるのにちがいない。しかしたとえどんな事情があるにせよ、十年間も欺しつづけるということはまさしく夫への侮辱である。

そんなにイヤならさっさと出て行けばいいのだ。その後、どんなに苦しい生活が待っていようと、別れようと決心した以上はさっさと別れるがいい。別れよう別れたいと思いながら、行く先を思って十年間ぐずぐずしたというならわかる。

「計画して、欺《あざむ》き通し、そして幸福になったというのが許せぬ！」

と私が怒ると、みんなは笑った。

何でもいい、幸せになったのだから、それでいいではないか、という意見がある。将来のことを思い煩い、全世界の不幸を背負ったような気持になって、行動力を持てず、愚痴や怨みつらみを口にしてメソメソ生きるよりも、こうして計画性を持ち、合理的に離婚後の生活を建設して行ったこの奥さんは、離婚女性の鑑《かがみ》というべきだ、といった人もいる。

また女は弱いのだから、それくらいの力を持つべきだ、という人もいる。

多分、そうであろう、それを「現代的な正しい考え方」というのかもしれない。離婚のし方について、どんな離婚がいいか悪いかを論じるのはナンセンスであろう。しかし私は十年もの間、「欺瞞の日々を重ねつづけた末に掴んだ幸福」を疑問に思わずにはいられない。これは別れた人への侮辱である。この侮辱は単に悪口をいい廻ったり、罵ったり、殴ったりひっかいたりの侮辱とは違う。どんなに嫌いになった夫、自分を苦しめる夫だったとしてもかつては夫と呼んだ人への、人間としての愛情と尊重を持って離婚したい。それが私の離婚の美学である。

人は何でもかでも、手段選ばずうまくやればいい、自分さえ幸福になればいいというものではないのだ。

彼女は忸怩《じくじ》たる思いを噛みしめながら幸福を味わうべきである。手放しでうまく掴んだ幸福を誇るなんて、たとえ欺された夫は許そうともこの私は許さぬ――と、ひとり力んでもしょうがないと思いつつ、私は力む。

スッキリ症候群

結婚というものは必ずしもしなければならないというものではない。しかし、どちらかというと、しないよりはした方がいい、失敗するとしても一度はした方がいい。私はそう考えている。

結婚しなくても、愛人関係を持てばそれでいいという人がいる。愛情を分かち合う相手がいれば仕事の励みにもなるし、適度の性関係が心身に潤いを与えてくれる。日常の家事負担も軽減されるし、生活設計や家計についての意見の相違で争うこともなく、めいめい自分で自分の暮しだけ責任を持ってすればいいという点が、仕事を持っている女には理想的であると。

打ちこみたい仕事を持っている女には、何といってもきれいさっぱりの独身が一番だ、という人もいる。愛人なんかを持つと、それだけ生活が煩わされ、妥協や譲歩をしなければならなくなるだろう。例えば彼が久しぶりで会いたいと連絡してくる。だが彼女の方は仕事の都合で、彼とゆっくり一夜を明かすわけにはいかない。無理をしてつき合うと、その皺寄せが後々までくることはわかっている。

しかし、ここで断っては、この次、お互いの都合のいい日がいつくるかわからない。この前も断ったから、二度もつづくと彼も面白くないだろう……などとあれこれ思いを廻《めぐ》らして、結局、無理をすることになる。その無理が疲れを呼ぶ。疲れが不機嫌を招き、二人の間はギクシャクしてくる。やがて彼の誘いは間遠になる。それに気がつくと猜疑心が起きてくる。

――もしかして、別に彼女が出来たのでは……？

猜疑、妄想、嫉妬、そして喧嘩……。

ああなんという感情の浪費。そんなものに煩わされるよりは、寂しくとも雄々しく独り身を通している方がどんなにかスッキリしているわ、と独身主義者はいう。そしてテキトウに浮気をしていればいいのよ。決して心が乱されることがないような浮気をね！　と。

しかし長い人生、愛したり愛されたり、苦しんだり苦しめたり、猜疑したり嫉妬したり、いい争ったり、仲直りしたり、という感情の波立ちがなかったら、退屈してしまうのではないか？

「ことなくスッキリ」ということは、一見得難い価値のようだけれども、人生はマラソン大会とはちがうのである。

「いい大会でしたねえ。事故もなく、スッキリとはじまってスッキリ終りました。みんな、よく走って……」

では一向に面白くないのである。

仕事の邪魔になるものは一切排除して、スッキリ生活がしたいという気持はよくわかるが、そのために人間性までスッキリしてしまっては取りつくしまがなくなる。スッキリしすぎて、人の苦しみも悩みもわからない人間は（自分はよくても）、ハタ迷惑だ。

経験というものは少ないよりも多い方がいい。そしてその経験は楽しいものばかりでなく、辛い経験、苦しい経験も含まれている方がいい。そう思っている私は、だから一生独身を通すより愛人関係を持つ方がよく、愛人関係よりも更に繁雑さと戦わなければならぬことの多い結婚生活を一度は体験することを勧めるのである。

この頃、結婚をメリット、デメリットで考える人が増えてきているようだ。そんな人に結婚のメリットとは何かと訊くと、

一、家賃を含む経済負担が半分ですむ。
二、精神的に支えられる。（助け合い）
三、安定感。（将来の不安がない）
四、一人だとあと十年かかる将来の設計が、二人なら、それほど苦労せずにすむ。

という返事で、デメリットはというと、「家事負担が大きい」の一言に尽きるようだった。

それ以外に学歴、背丈、容貌などの条件を考慮し、そのメリット、デメリットを秤《はかり》に載せて結婚をするかしないかをきめる。その結果なかなか秤《はかり》がメリットの方に傾か

ないので、「結婚しない症候群」が増加しているのだということらしい。

ということは、「結婚しない症候群」というよりも、「愛さない症候群」というべきではないのか。

愛すればこそ「竹の柱に萱《かや》の屋根、手鍋提げても厭《いと》やせぬ」という行為に出てしまうのである。若い女がやれ背丈は、学歴は、といっているのは、男に「惚れる」という感情が磨滅《まめつ》したからではないのか。

「いや、磨滅じゃない、それは女が実力を持った結果です！」

と意気軒昂《けんこう》たる返事が返ってきたが、実力と恋心とは自《おのずか》ら別モノではなかったのか。それとも実力を持った女をして「惚れさせる」だけの力を持った男がいないということなのだろうか。

——惚れずにスッキリ実力女性。

しかし、それが（スッキリが）果して人生を充実させるものかどうか。心底人を愛し苦しんだことのない人生は、実は何の得るところもない寂しい人生なのである。

4章

女と母は強くあれ

【親としての〈女の背ぼね〉40～60代】

ヒヨコの堕落

子供が学校から息せき切って帰って来て、道でとてもきれいなヒヨコを売っているから買いたいという。あたし、どうしても赤いのがほしいの。A子ちゃんは青いのを買ったけど、という。

私は思わず訊き返した。

「なんですって、もう一度いってごらん」

「赤いのがほしいの、A子ちゃんは青を買ったけど」

「ヒヨコでしょ、それは……」

「そうよ、とてもかわいいの」

「オモチャのヒヨコなの？」

私は合点がいかない。子供を連れて、ヒヨコを売っているという場所へ行った。ボール箱の中にけばけばしい青、赤、黄がピヨピヨピヨと啼きつつ動いている。称してカラーヒヨコというそうだ。私はあっけにとられた。ヒヨコを染めて売っているのだ。どんなふうにして染めるのか、青い二、三羽は弱っているとみえて、ぐったりと目を閉じて動かない。

「どう、きれいでしょ、お母さん……」

という ヒヨコ屋の声を後に、私は子供の手を引っぱって憤然と家へ帰って来た。商魂によって無残に染めつけられたヒヨコの群れは、醜悪以外の何ものでもない。

「ヒヨコの身にもなってみなさい！」

と私は子供に当った。すると子供は不平そうにいった。

「でもヒヨコだって赤くしてもらって、喜んでるかもしれないわ」

私はぐっと詰まり、

「そんなことを喜ぶようなヒヨコはダラクしたヒヨコです！」

と叫んでごま化した。どうも私のように単純な決断を好む人間には、だんだん住みづらい世の中になってきたようだ。

数日して子供と商店街を歩いていると、子供がいった。

「ママ、ダラクしたお花があるよ」

見ると花屋の店先がカラー写真のようなわざとらしいあざやかさで彩られている。鳥の羽毛を黄や赤に染めつけて作った造花なのである。そこでまた私は憤慨した。私たちが花を暮しの中に取り入れるのは、日常生活を飾りたいという心ばかりではなく、花のあわれの中に移り行く季節や、野の風、園の香りを感じたいためではないのか。

「花は枯れしぼんでこそ美しいのです。枯れぬ花は枯れぬことによって花の意味を失う……」

と私は演説をはじめた。私には、憤慨すると子供を相手に演説をぶつ癖がある。

「わかったよ、わかってるよ」

と子供は私の演説をやめさせるべく大声でいい、それから、

「だけどきれいだねえ」

と、小声でこっそり詠嘆した。

本当の美しさ、本当の味、本当にいいもの、それを子供に教えるのに苦労をしなければならぬ世の中になってきた。インスタント食品の味をおいしいなどと思わせぬためのに、ママは料理の腕をふるわねばならぬ。どんなに忙しくても、それは母親のつとめだと私は思っている。

超スパルタママに乾杯！

「私はいつも母に怒られた後、手紙を書き、気ばらしをしている十九歳の学生です」

という書き出しの手紙を貰った。彼女は拙書『娘と私シリーズ』をよく読んでいてくれて、「娘さんがつくづく羨ましいです」と書いている。

丁度その日、私は娘が、

「あーあ、よそのお母さんはどこのお母さんを見たって、ママよりいい人ばっかり。ママよりうるさくてこわいお母さんって、探したけどいないのよねぇ……」

とボヤくのを聞いたばかりだったので、我が意をえたり、という気持で読み進めた。

「娘さんは、〝私のお母さんは怒りっぽい〟とかいっておられたけど、先生、うちの母は先生以上に怒りっぽく、厳しいスパルタママなんです。どうか聞いて下さいよ」

ハイハイ、聞きますよ、聞きますよ、と私は機嫌よく読み進めた。

「私は娘さん同様ロックが大大大好きで、特にノルウェー出身のグループ『ａ‐ｈａ』が大好きで、いつコンサートをしに日本へ来るかと、ずっと前からワクワクしていました。それが何と、さる十八日の新聞に『ａ‐ｈａ 日本コンサート』と書いてあったのです。私は飛び上がって喜びました。

『ａ‐ｈａが来る！ ａ‐ｈａが来る！ モートンに会える！』と。

母はそれを聞いて「また、外人かぶれが！ 大学生にもなって頭ン中は未だ中学生だ』といっていましたが、『まさかコンサートに行くっていうんじゃないだろうね』と私をにらみました。私は、『三千円だし、いいでしょ？』と訊きました。『まぁ、三千円は安いとはいえんが……』と母はいったので、私はＯＫとみて喜びました」

紙数の都合で中間は略すが、彼女はチケットを買いに行く。お年玉に貰った一万円を持って。ところが

三千円のは売り切れて五千円のしかない。弟にも頼まれていたので一万円で二枚

買って帰って来た。

「……母は鬼の如く私を叱りつけました。

『一万円つうお金を実際にあんたかせいだことあるの？』

『でもこれしか売ってなかったの』と私。『返しに行くんだ！』と母。

私はガーンときて、『でも何時間も並んでやっと買えたのに』というと母は、『パパは夜遅くまで働いているつうのに、子供はあんなくだらないことに金を使いやって恥を知りなさい、恥を！』と私をぶつので私は『わかりました』と涙でぐしょぐしょの顔をしてチケットのキャンセルに遠い所まで戻りました。

『ああ、私のモートンに会えなくなった』と私がグチをこぼすと母は、『あんたの教育を間違えた。もっとお金のありがたみのわかるように厳しくしつけるんだった』とにらみます。これ以上厳しくされたらどうなるのよ、といいたくなります」

その夜、彼女は三つ年下のイトコに電話をする。イトコも厳しいお母さんを持つ彼女と「同類の女の子」だという。

「イトコは私に同情をし、『まったく、なんで家のママたちはあんなにスパルタなんだろう』とため息をつきました。彼女はこの間、高校へ行く前に『行ってきます』といわなかったためにひどく怒られたそうです。

『朝はニコニコとして行ってきますっていうのは当り前でしょ？　ええッ？』と腕をギュッとつかまれて怒られたのです。その痛さ！　私もよくわかります。本当に後で真っ赤になるんですよ。私もしょっ中です。

ホームドラマを母と見ていると、母はすぐ怒ります。ドラマで食事の場面で家族が食事をしてて、女の子が母親に『もういらない』といってご飯を残し、そのまんま部屋に戻ろうとする娘に母親が、『どっか具合でも？』と心配そうにいうと、そんな時、母は怒り、『なんやねん、あの女の子！　あの母親！　お百姓が八十八回手をかけて作ったお米を残し、しかも自分の食べたものを洗おうとしない！　それを母親が認めて娘のきげんをとってる！』と私に怒るんですよ。

『私にそんなことといってもしょうがないでしょ。現に私はご飯残したこともないし、洗いものだってやってるでしょう』

『そりゃそうだがねえ、あのドラマを見て真似する子供がいるやもしれん』とまた怒ります。

実際、家には九十八のおじいさんがおり、手がかかって、母はおじいちゃんの筆洗いをしたり絵の具をとかしたり（画家です）下の世話まですするのですから、私は洗いものを毎日やり、きめられた日にフロ洗いをしているのです。ちゃんとやってるのに、他人のしたことまで、まるで私がやったことのように怒るんです！

思い起こせば私の大学受験の時、勉強を熱心にやっててフロ洗いと洗いものをやらなかったもので、『きめられたこともやれんで何が受験ッ！　ええッ⁉』と怒られました。

普通の家庭とちがうでしょう？　この間も父に、『パパのバカッ！』といったら（ちゃんと理由があって）父は『親に向って！』とゲンコツを私の頭の上に落し（すごく痛いの）母は私の腕をギューーッとつかみ、『誰のおかげで生活出来るのッ！　ろくでなし！』とすっごく説教されました。私は涙だらけの顔で『もうしません』といいました。バカといっただけで家では大変なのです。

弟は苦を苦とも感じぬフッツーの男の子で（これがシャクなの）この間のチケット事件で私が弟のチケットの分まで叱られて、うつぶせになってゴーゴー泣いている隣で、弟は楽しそうにおせんべ食べながら鼻ウタ歌い、マンガを読んでいるので、こっちは泣いているのがバカバカしくなりました……」


ああ何という立派なお母さんだろう！

このところ孤立無援という格好で、うるさい母親、厳しい母親、ガンコな母親の孤塁を守っていた私である。手紙を読み終えて私は思わず、

「エライッ！」

と叫び、早速娘を呼んで読ませた。

「ふーん……スゴイねえ……」

読み終えた娘は殆ど呆然《ぼうぜん》として、

「可哀そう、この人……」

という。

「何が可哀そうなの！　これこそ理想の母親です！　こういうお母さんに育てられたこの人は、今後、いかなる困難、苦労に遭遇しても耐えて行ける力が養われているにちがいないのです。あんたなんか、ママのこと、何のかんのといつも文句いってるけど、この人に較べたら、ロックコンサートなんて、高校の頃から行き放題だったし、食事の後片づけなんてしたことはなかったし……」

「わかった」

と逃げ出そうとするのをつかまえて、

「よく聞きなさい。このお母さんが立派なのは、少なくとも自分の主義、哲学、人生いかに生きるべきかということを、しっかり持っているその点である。大学の受験勉強の時に、風呂洗いをしなかったといって怒るなんて実に見上げたものですよ。このお母さんは子供を叱るばかりでなく、自分も人並み以上の働き者。おじいさんの筆洗いをしたり絵の具をとかしたり、下の世話までしてるというではないの。偉い！

実に立派な人だ！　ママは深く深く低頭して、このお母さんに敬意と讃歎を捧げ、弟子入りをお願いしたい」

「ま、なんなと好きにやって下さい」

といって娘は逃げて行ってしまった。

私は机に向い、便箋を取り出した。この人に返事を書きたくなったのである。

「お手紙ありがとう。

とても面白いお手紙で（あなたにはあまり面白くないでしょうが）、私は何度か笑ってしまいました……」

それからこのお母さんに私は感動したこと、実にいいお母さんだと思うその理由などを書き、最後にこうしめくくった。

「あなたのお母さんのためにバンザイを三唱したいと思います。バンザイ、バンザイ、バンザーイ」

　数日後、彼女から手紙が来た。

　私の手紙の差出人の名前を見て、お母さんは「ホントの佐藤愛子からなの」と疑い、何が書いてあるのかを読ませろと迫った。

「私は母に読ませたいと思います。読ませたら、喜ぶだろうと思うのですが、そうしたら、私が書いたことが全部バレてしまうので、読ませたいけど読ませるわけにいかないのです」

　私はまた嬉しくなって、彼女のお母さんのために、ひとりで乾杯をしたのであった。

一心不乱に耐える

どんなにいやでも辛くても、お産の時だけは一人で我慢し、一人で頑張らなくてはならない、女である限り出産というものは避けて通ることの出来ない務めなのだと、幼い頃から誰にともなく教えられて育った。

その痛みの物凄いことは畳の目が見えなくなるほどだということだった。しかしだからといって泣きさわぐのは女の恥であるから、どんなに苦しくても泣いてはならないのだと思いこまされ、子供心に暗澹《あんたん》として前途を怖《おそ》れたものである。男はいいなあと羨むと、その代り男はヘイタイに行かなければならないのだ、と慰められた。

私がはじめてのお産をしたのは戦争の真只中である。日本の女は出産の時に泣き声を上げないが、アメリカ女は泣きさわぐ。ここが大和撫子《やまとなでしこ》とヤンキー女とのちがいで、だから日本の国は強いのだなどといわれ、戦争に負けては困るので泣かずに頑張った。

その頃は子供はお国のために産むのであった。子沢山が表彰され、褒美を貰い、褒美ほしさに十二人も産んだ人もいる。

そうして生れた子供たちはすくすくと成人して、今はやれ麻酔分娩、やれ帝王切開だとラクなお産をするのが当り前になった。

結婚をすると、

「子供は何人産むつもりですか?」

と何の不思議もなく人は訊く。

「この次はいつ?」

「来年の秋にしようと思うの」

とまるで海外旅行並みだ。戦中戦前派、好むと好まざるとにかかわらず子供を産まねばならなかった我々は、

「いい時代になったわねえ……」

と祝福しつつ、心の奥でひそかにチェッ! と舌打ちをして何となく面白からざる

思いを噛みしめている。

「この頃の女は陣痛で泣くんですってね」

「病気でもないのに帝王切開でラクに産むんですってね」

「だからダメなのよ。今の若い母親は」

「歯を食いしばって苦しさに耐えるってことしてないもの」

と、ケチをつけたりするのも、もう二度とお産をする機会が来ないからで、もし妊娠可能ということになれば、また自《おのずか》ら意見も変るのである。

お産の苦しさを耐える時、叫び声を上げるのと、黙って歯を食いしばっているのとどっちが耐えやすいだろう？　私と同年輩、大正末期生れの女たちが集ってそんな話題に花が咲いた。

我々の世代はお産で泣くのは女の恥だと教えられた世代であるから、歯を食いしばって耐えた方である。

「泣くなんて、そんなヒマがないわね」

という人がいて、私も賛成した。お産で泣いたりするのは女の恥だといわれているので、だから泣きたいのを我慢したというわけではなく、泣きたくても泣けない。まったく、あの押し寄せる痛みの中では泣き声を上げる暇がないというのが私の実感なのである。

だが今の産婦たちの中には泣き喚《わめ》く人が少なくないという。なぜ泣くのだろう？いや、なぜ泣けるのか、と私はふしぎでたまらない。

泣くとよけいに痛くなるのではないか？　泣く暇があったら、いかにこの苦しみと戦うかに精神を集中させた方がいい。耐えるにもいい加減に耐えないで一心不乱に耐える。戦争のさなかに泣きながら戦っている兵士がいないのと同じである。戦争の体験は二度としたくないが、しかし「我慢」の力を我々に与えてくれたことだけはよかったと思う。

しかしそんなことをいえるのも、お産の苦痛は戦争同様、やがては必ず終るという希望があるからであろう。これがいつ終るかわからない苦痛であれば、やはり泣いてごま化すしかないかもしれない。

私は日頃から苦痛に対して強い人間でありたいと願っている。若い頃はちょっとした頭痛にもすぐに薬を飲んだものだが、ある時からそれをやめた。薬に頼らないで身体を動かして治すことを考え出したのだ。

私は薬嫌いでよく人から笑われるが、それはいつか来るであろう大病、最後は薬の力でも癒《いや》されない苦痛が来た時、一人で耐える力を培っておきたいからである。そんな私は強いのではなく、多分弱い人間なのであろう。

可哀そう？　何が？

この頃の幼児はおとなしい。実にききわけがいい。昔は手に負えない子供がいっぱいいいた。商店街の道端で地団駄《じだんだ》踏んでゴネている子供、母親が叱ろうが手を引っぱろうが、がんとして動かず、あれを買ってくれとねだっている子供の姿は珍しくなかった。

かく申す私の娘も三歳くらいの時、デパートのオモチャ売場で木製のカルタを買ってくれといって大声で泣き喚いたことがある。私が買わないのは、それの値段が高すぎるためである。行き交うお客さんや店員が驚き呆れてふり返っている中で、母子の死闘（はちょっとオーバーだが）がくりひろげられた。

娘はふだんは普通よりもおとなしい方だったが、あんなに泣き喚いたのはよくよくそれがほしかったのだろう。今から思えばそんなにほしいものなら、あっさり買ってやればよかったと思う。しかし、こちらとしてはフトコロ具合というものがあったのだ。しかもその前に安モノながら人形を買っている。人がふり返るほど泣き喚かれたのでは、意地でも買わんぞ、という気構えである。ここでムザムザ買ってやっては、以後このテを使って押し通すことを覚えるだろう。

ムリヤリ手を引っぱってオモチャ売場を離れた。娘は泣きながら引っぱられて歩いているうちに、疲れたのかややおとなしくなった。やれやれと思ってふと気がつくと、夢中で歩いているうちに、フロアをひと廻りして元の場所へ戻っているではないか。なんと、忘れかけていたあのモノが我々の目の前にあるのだ。

私が気がつくのと同時に娘奴《め》も気づきおって、途端にワーン、ワーン、あれ買うゥがはじまった。それを引っさらうようにしてエスカレーターに押しこむと、娘は暴れてひっくり返り、エスカレーターの上で頭は下、足は上、という状態になったまま、上へ上へと上って行く。エスカレーターガールがとんできて私は叱られ、娘はびっくりしてあのモノのことは忘れてしまった。

我が愚娘ばかりじゃない。そんな光景は昔はいたる所に見られたのだ。

しかし今はどこにもそんな子供はいない。みんな涼しい顔をしている。わかりのいい子が増えたのだ。そういって私が感心していると、年下の友人がこういった。

「今の子供は泣いてゴネる必要がないのよ、母親が何でもいうことをきくから。ほしいといえば買ってやるから、したいといえばさせてやるから」

だから子供はみんな「いい子」なのだという。

今の若いお母さんは、なぜか子供を叱らない。年輩の者が集ると必ずそういう話になる。一番よく出るのは電車の中での子供の傍若無人《ぼうじゃくぶじん》ぶりだ。そしてそれを叱責しない母親への批判である。我が子が他人に迷惑をかけているのになぜ叱らないのか。それを年輩者はみなふしぎがる。

今の若い母親は、子供を「叱ってはならない」という育児法を信奉しているのだ、とある人はいう。またある人は「叱ることを知らない」のだろうという。知らないということは、叱る必要を感じない（我が子が人に迷惑をかけているとは思わない。あるいは迷惑をかけるのが子供の元気さであるから、大人はそれを許容するべきだと思っている）のであろうという。更にある人はこういった。「叱らない」のではなく「叱れない」んじゃないか、と。叱るのが面倒くさいから子供のいうことを通すのだ、といったお母さんがいるそうである。

子供を叱るには確かにエネルギーが要る。しかし、今の母親は子供を叱るためのエネルギーがなくなっているらしい。

そのエネルギーの衰弱を何が埋めるのか。

「豊かさ」が埋める。

欲望を満足させてやれば子供はおとなしくしている。おとなしくしていれば面倒がなくていい。そうして母と子の闘いはなくなって、何でもいうことをきいてもらえる子供は満足して「いい子」でいる。

どの母親も我が子のおとなしさ、利発《りはつ》さに満足しているのだろう。子供の遊び場がない、勉強勉強で遊ぶ時間もない。可哀そうな子供たちだという一心から、子供を甘やかす。子供は何でも与えられ、心づかいをしてもらうことが当り前になる。

そのうち子供は学校へ行くようになる。小学校から更に中学、高校と進んでいく。いうまでもなく学校は家庭の延長ではないから、今までのような心配りをしてくれる人間はいない。そこではじめて子供は思い通りに行かぬ現実というものとぶつかることになるのだ。

幼い頃、虐《いじ》めっ子に泣かされたこともなく、親の勝手な感情で殴られたこともなく、木登りに失敗して怪我《けが》をしたこともなく（昔は、怪我をするようなことをしたといって親に叱られた）ガキ大将になったことも、家来になったこともなく、「踏んばって辛さに耐えてみせる」ことなど経験したこともない子供は、新しい現実に馴れることができずにひとり苦しむ。学校へ行くのがイヤになる。昔の子供なら屁でもないことで、今の子供は傷つく。いったん傷つくと癒すすべがわからず落ちこんでいく。

登校拒否は今は特殊のことではなく、十人に一人というありふれた現象になっているそうだ。つまりそれだけ我慢の力が弱い子供が育っているということだ。それは親の責任だ。鍛えていないからそうなる。

社会に出ればどんな虐めや理不尽が待っているかしれないのである。その社会に対応するために学校生活があるとすると、可哀そうなどとはいっていられない。可哀そうなのは理不尽に耐え、闘い、乗り越える力を育ててもらえないということではないのかな？

アタマは何のためにあるのか

何げなくテレビをつけたら、子供に留守番をさせるのは、幾つくらいからが適当か、という会話が二人の女性の間で交されていて、私は我が目と耳を疑った。世はマニュアル時代になってきていることは知っていたが、ここまできているとは知らなかった。質問をするアナウンサーは、留守番をさせる時間は何時間くらいがいいかと真顔で訊いている。料理番組じゃあるまいし。角煮の豚バラは、何時間煮込むんですか、と訊くのなら話はわかる。

我が子に留守番をさせるのだ、よその子に留守番をしてもらうわけじゃない。六歳の子供でも知能が八、九歳並みの早熟もいれば、少々遅《おそ》知恵もいる。それはその子を育てた母親の観察力と判断力にかかっている。それぞれの子供の成長度によってちがうことはいうまでもない。

これは、世の中の母親はみんなアホウだと思いこんでいるディレクター（男）が考え出したことなのか。それとも、本当にそういうレクチャーを必要としている母親が増えているのか？

「本式に留守番をさせる前に、あらかじめ練習をさせておけばいいでしょう」と先生がいう。アナウンサーは感心して頷《うなず》く。アパートのドアの前で、鍵穴に鍵を差しこんで廻している子供、それを見守る母親の姿が映し出されている。後はどうなったのか、あまりバカバカしいので見るのをやめた。

母親よ、自分の目で子供を見、自分の耳で子供の声を聞き、自分の頭で考え、判断せよ。

六つと三つの子供を残し、ドアに鍵をかけて夕飯の買物に出かけたお母さんがいた（これを「留守番」というのか「監禁」というのかよくわからぬが）。

そのお母さんは、買物をすませての帰り、商店街で知り合いの奥さんと出会ったので、立話をしていた。と、消防車がサイレンを鳴らしつつ脇を走って行く。

「火事らしいわねぇ。急がなくちゃ」

といって別れて帰ってくると、自分のアパートから煙が出ていた。寒いので消さずに出た石油ストーブを子供がいたずらをしたらしく、我が家から火が出ていたのだ。子供は逃げようにもドアに鍵がかかっている。窓から飛び降りることは出来ないから、風呂場に逃げて浴槽の中で抱き合って震えていた。上の子供は助かり、下の子供は息絶えたという。

こうして書くだけでもたまらない話だ。あまりにも可哀そうな話だから、誰も表向きはそのお母さんを非難しない。聞いた話では、その人はたいへん育児に熱心な人で、「子供が三歳くらいになるまでは母親は家にいないと子供が情緒不安定になる」と何かに書いてあったというので専業主婦になった。子育ての本など何冊も買って、それは育児に熱心なお母さんだったそうだ。

しかし、育児書には「子供に留守番をさせる時は、冬などストーブその他、火の元は消しましょう」とまではもちろん書いてない。そんなことは誰でも知っている常識だからである。

「気をつけるのよ。ストーブに触れてはダメよ」

と、そのお母さんも注意したことだろう。子供は「うん、うん」と頷いただろう。しかし頷いたからといって、しっかり胸に刻んだわけではない。何かの弾みですぐ忘れる。そこが子供の子供たるところだ。

この子は落ちつきのある子かない子か、臆病か大胆か、注意深いかそうでないか、それを知っているのは親しかいない。一人の時は緊張しているが、二人三人が一緒になると、安心して油断するのが子供である。育児熱心とは数冊の育児書を読破することではなく、我が子をよく見、よく知り、想像力を働かせることだろう。

「お子さん、お孫さんの進学指導の方法に大きな誤りはないでしょうか?」

こういうビラをもらった。子供の能力を百パーセント引き出すにはどうすればよいのかと書いてある。
一、学習方法や記憶力アップの方法に基本的な問題がなかったか?

二、お子さんの頭脳にとって良い食事のとり方をしているのか？
三、睡眠のとり方に問題はないか？
「これらの問題を解決し、本人の自主性＝やる気を育成するため『頭脳と栄養』の関係や『頭脳の鍛え方』について基礎的な見直しをし、進学指導の武器とするようにしよう。建物には礎が大事なように、お子さんの教育も土台作りが必要です」

私は唖然として言葉を失った。

「子供の能力を百パーセント引き出す」とは簡単にいってくれるものだ。人の能力とは千差万別のもので、子供の時からそう簡単に見つけられるものではないのだ。

だが、どうやらこの先生たちは子供の能力というものを、「記憶力」「学力」に置いているようで、それを伸ばすことが「よい教育」だと考えているようである。

もっとも子供の頃は記憶力さえよければ成績はいい。「×子ちゃんはとってもアタマがいいの」、ということになる。しかし記憶力が力を発揮するのは、せいぜい受験戦争までで、その後は記憶力がいいからといって、必ずしもアタマがいいとはいえない、という事実にぶつかることが少なくない。実人生で大切なことは知識の集積よりも、理解すること、感じること、そして考えること、である。

世の中には記憶力がないために、「じっくり考える」ようになった人もいる。子供の時勉強が出来なかったから、落ちこぼれだったからこそ、「人の気持がわかる」ようになった人もいる。

アタマは覚えるためにだけあるのじゃない。考えるためにあるのだ。

子供はラーメンじゃない。即席よりもじっくり作った方が味が出る。その味は、有名料理人の味ではなく、親が吟味して作る味である筈だ。

5章

これが男というもの

【男性に対する〈女の背ぼね〉50～60代】

偉く見られたい欲望

女はすべて、美しく見られたい、美人だといわれたいという願望を持っている。それと同じように男はみな、偉く見られたいという欲望を持っているものである。そしてすべての女が美しく見られるために化粧をし、流行の衣服に身を包むように、すべての男は自分が有能であり、犀利《さいり》であるという顔をしたがるものである。

女はすべて美しいのではなく、美しく見られたいと思い、男は偉いのではなく、偉く見られたいと思うその前の段階に、偉くなりたいという欲望が当然ある。しかし偉くなりたいと一口にいってもこの世はそう簡単にはなれぬ仕組みになっている。そこで〝偉くなりたい〟がいつしか悲しい変化を遂げて〝偉く見られたい〟というせめてもの願いになるらしい。

家でウイスキーを飲めばいいのに、なぜわざわざ酒場に出かけて行って、濁った空気の中で惜しげもなく高い酒を飲むのだろうと、よく女は男性批判をする。男ってホントにいやらしいわね。要するに女とイチャつくのが目的なのよ。お酒を楽しむわけじゃないのよ、と憤る女性も少なくない。

現に、男の中にも、

「なに？　なぜあんな高い酒を飲みに行くのかだって？　きまってるじゃないか。女の子をくどくのが目的さ」

などとハッキリいうのがいたりして、ますます女性の顰蹙《ひんしゅく》を買ったりしているが、それは男の一種の見栄ともいうべき発言であって（また、モテぬ男に限ってわざとそういうことをいう）、本当は偉く見られたいという欲望を酒場で満足させようという下心なのではあるまいか。どうも私にはそう思えてならぬのである。

酒場の女性は、いうまでもなくサービス業であるから男を男と見るより先に客と見る。従って偉く見られたいという男の欲望を満足させる、言葉やしぐさは商売であるからには惜しみなく（殆《ほと》ど習慣的に）与える。どう苦心しても偉く見えぬ時は、無理してでも何か褒める。お車の形ステキとか、ネクタイいいとか、それは、偉く見えることとは関係ないことのようであるが、それだけで十分に満足する男性が少なくないように見受けられる。

前置きが長くなったが、男性を〝いい気分〟にさせるには、うまい料理よりも、時間をかけた化粧よりも、スケスケルックよりも、何よりもこの偉く見られたい欲望を満足させてやることではないかと思う。

女の中には例えば私のような箸にも棒にもかからぬヒネクレがいて、

「お若いですねえ、実際のお年よりも五つは若く見えます」

などといわれると、

「フン、お世辞使ったって、そのテには乗らないヨ」

と内心呟《つぶや》いたりするが、ふしぎなことには男にはそういうヒネクレは決していないのである。

そういう点では男は誠に善人である。

「お若いわねぇ」

「そうかなあ、ホントにそう見える？」

などと顎《あご》を撫《な》でて喜んでしまうのが百パーセントなのだ。


自分の恋人は今は偉くなくても、今にきっと偉くなると信じている女ほど男にとって可愛いものはないにちがいない。昔の女は家の中にばかりいて、狭い視野でしか男を見ることが出来なかったから、一も二もなく自分の夫（あるいは恋人）を比類のない立派な殿御《とのご》、と思いきめることが出来た。しかし、現代の女性はあまりにも広い視野を持ち過ぎている。そのためどんな男を見てもすぐに欠点を探し出してしまう。

「そのへんがあなたの限界よ」

などとついハッキリいいたくなってしまう。そこをウームとこらえて、男の自尊心を守ってやらなくてはならない。男の方だって女を喜ばせるために、ムリをして、

「今日の君はとてもきれいだよ」

などといってくれているのかもしれないのであるから。

ある所に女千人斬りを自負している男性がいた。気前がよく、口はうまい、ハンサムの上に愛情のテクニック抜群という男であるから、自分から斬りに出かけるまでもなく、斬られようとして出向いて来る女にこと欠かなかった。

その男がある時からパッタリ千人斬りを中止したのである。彼は一人の女性に心を奪われてしまった。そしてその女以外はどんな女を見ても女に見えなくなってしまったのである。

いったい彼をそれほどまでに狂わせるどんな魅力がその女性にあったのだろうか?

まず第一に彼女は無口な女だった。

次に彼女は無表情な女だった。

そうして最後に彼女は彼を拒絶しようとはしないが、愛さなかった。

この三つが彼を狂わせたのである。

男には征服欲というものがある。男性的な男であればあるほど、その征服欲は強い。

彼は千人の女を征服しようとして、着々と成果を上げつつあった。彼の征服欲は満ち足りることによって恰《あたか》もナポレオンのごとく、豊臣秀吉のごとく、いっそう高まっていったのである。その時、その征服欲を遮《さえぎ》るものが現れた。彼はつまずいた。彼を愛さぬ女が現れたのである。

彼女は無口なので、考えていることがさっぱりわからなかった。また無表情なので、何をしてやっても嬉しそうな顔を見せたことがない。彼は彼女の喜ぶ顔を見たいという一心から、彼女に全力を傾けた。彼女の心がどのへんにあるのか、彼を愛しているのか、いないのか、いるとすればどのくらい愛しているのか、それを確かめたくて、彼女の中にのめりこんだのだ。

もし彼が男としての自分の力に自信を持っているプレイボーイでなかったなら、その不愛想な女のためにそこまでのめりこみはしなかったかもしれない。彼をのめりこませたもの、その異常なほどの執着は、

男の征服欲から出たものにちがいない。彼が斬り捨てては即座に忘れ、捨てていっ

た女たちは、あまりにも簡単に彼の征服欲を満足させすぎたのではなかったか。

しかし、今ではそういう征服欲の強い男性は、どうやら影を潜めつつあるらしい。無口で無表情で、自分を愛しているのかいないのかはっきりわからぬ女にいつまでもかかずらわっているような、タフな男性は少ないようで、

「脈がないのか？　あるのか？　エイ、面倒くさい。別のを探そう」

ということになっているようだ。

若い女性はよく一口に男性的な男、男らしい男の人が好き、などというが、いったいどんな男性を男性的な男だと考えているのか、時々私は知りたいと思う。

例えばこの千人斬り志願の、しつこい男などは男性的な男の範疇《はんちゅう》に入ると私は考える。「女は愛嬌」という言葉が昔からあるが、それが男にとって魅力だと思いこんで、せっせと愛嬌を撒いていると、この男のような場合にはアッサリ飽きられてしまうことになる。

ある女がある男に宝石を買わせたいと思った。宝石の上に、出来ればミンクのス

トールも買わせたい。

そこで女は香水を胸にふりかけ、スケスケネグリジェを着て男にまといつき、さんざん甘えてみせる。男はヤニ下がって、いいよ、いいよ、と何でも女のいうことを聞く……。

アメリカの喜劇映画などによくある情景である。男は女の媚態に抵抗力を失うというのが、洋の東西を問わず一般通念となっているようである。

また日本の時代劇などでも、あでやかな芸者に扮した女賊が、ニッコリすり寄るとつい心を許して刺し殺されたりする若侍がよく出てくる。しかしその女賊のあでやかさにも、ニッコリにもまどわされず、泰然自若《たいぜんじじゃく》として女賊の正体を見抜くのが、こういう映画の主人公であって、ミーちゃん、ハーちゃんが「男らしい人」と胸をときめかすという仕組みになっている。

しかし、その主人公に胸をときめかせるのはミーちゃんハーちゃんばかりではない。そこいらのナミの男の大部分は、女賊の誘惑にも負けぬ（自分とは違う）凛々《りり》しい主人公に、胸のつかえの下りた心地して、心ひそかに夢と憧れを託すのであろう。

ところで男はなぜ、女の身体をさわりたがるのか？　とある時私はある男性に質問したことがある。するとその男性はこともなげに、

「スベスベとやわらかくて、気持がいいからさ」

と答えた。

我々女は赤ン坊のふくらんだホッペタやくびれた顎を、「まあ、可愛い」といって思わずつついたりするが、それはやわらかいからつつくのではなくて、可愛いのでつつきたくなるのだ。

しかし男は可愛いから女にさわりたがるのではなく、やわらかいからさわりたいのだという。しかし肥った赤ん坊を見た男性は、

「ほら、可愛いね」

と目を細めはするが、女が赤ン坊にするように頬ずりしたり抱きしめたりはしない。いくらやわらかく、プクプクしていても、である。

男が女にさわって喜ぶ心理の中には、そのやわらかさの中に包みこまれたいという願望が潜んでいるのかもしれない。その昔、やわらかな母の乳房の間に顔を埋めて眠った時の、やすらぎへの夢がそこにあるのかもしれない。

男が女をグナグナにするには、愛撫の技巧をこらさねばならぬであろう。しかし、女はその「やわらかさ」を見せるだけで男をグナグナにすることが出来るのである。

「ちょっとだけでいいから、さわらせておくれ」

女に懇願している男が出てくる外国映画を見たことがある。

「さわってどんなイミがあるの？」

と女がいっている。

「イミなんかないさ。ただ、さわりたいんだ」

男が答える。

「ただ、それだけだ。さわるだけでいいんだ」

さわるだけでいい、という感覚は女には理解出来ないものだが、それが男というものなのであろう。

そう考えると、男というものは、筋骨隆々と、たくましく威張っていながら、自分の力でどうすることも出来ない大きな弱点を持っているものであることに気がつく。

さわるだけでいいんだ、という男に会ったとき、若い女性は多分、

「いやらしいわネ、フケツ！」

といって憤るであろう。

しかし、本当は憤るべき筋合のものではなく、あわれんでやるべきものではないかと私は考えている。

ネコがネズミを追う時

いかなる世でも、いかなる地でも、東西古今を問わず、人の妻たる者の心を悩ましてきた事柄に夫の浮気がある。浜の真砂《まさご》は尽きるとも世に盗人のタネは尽きぬように、夫の浮気は尽きぬものである。

かねてから、私にとって何が厄介といってこの夫の浮気に対処する方法を答えさせられるほど厄介なことはない。人間はそれぞれの生い立ちがあり、環境があり、教養があり、性格がある。ヤキモチをやかずにはいられない妻あり、どうしてもヤキモチを表面に出すことの出来ぬ妻あり、ヤキモチをやかれるとおそれおののいて行ないをつつしむ夫あり、やかれればやかれるほど妻から離れて行く夫あり、ヤキモチをやかれないと、ますますいい気になって妻をナメる夫あり。それを一概にやくべし、やかざるべし、などと答えることは出来ないのである。

たとえば夫の浮気に対してヤキモチをやくことが出来ぬ誇り高い妻とやかれないとますますいい気になる夫との組み合わせでは、厄介なことになっていくし、やく女房とヤキモチこわい夫との組み合わせでは、まあまあ、波乱はありながらも何とかもっていく。夫婦というものは、長い共同生活のうちに自然にのみこみ合ったものがあって、それによってバランスをとるテクニックを身につけていくものであるから、夫婦問題に関しては本当は他人のアドバイスなど無用なものである。

だが一つだけ私が明瞭にしておきたいことは、人間の本性の中には（男女を問わず）浮気への欲望があり、それを否定することは出来ないということである。私たち女はまず、そのことをハッキリと認識して、浮気を大問題と考えないように訓練することが必要なのではないかと思う。

男が浮気をするのは、ただチャンスがあったかないかの問題だけであって、妻への愛情とはまったく無関係のところで行なわれるということである。ネコがネズミを追いかけるのは、飼い主のくれる食いものに不服があるわけではない。ネズミがそこにいるから追うだけのことなのだ。ネズミのきりょうや気だてに惹かれたわけでもない。

そうだ、妻たるものは夫の浮気の相手をネズミと心得ればよろしい。ネズミに逃げられたネコ、うまく捕えて食べてしまったネコ、あるいは窮鼠《きゅうそ》に噛まれたネコ、いろいろあってもやがては飼い主のもとに帰ってくる。飼い主たるものはそれくらいの自負自信をもって悠然と構えているのがよい。

よく夫の浮気防止法として、髪にクリップをまきつけ、栄養クリームのテカテカ顔でアクビまじりに夫の帰宅を出迎えたりするな、などとしたり顔していう男がいるが、たとえどんなに身だしなみをよくし、心から仕えたとしても、男は浮気するときはする。それを防止しようなどと思う時から女の不幸ははじまるのである。

ステテコの哀愁

ステテコ姿がカッコ悪いとか、涼しくていいとかいう前に、私はステテコが懐かしい。ステテコが無批判に受け入れられていた時代に育った私には、ステテコと甚平は故郷の夏の風物詩ともいえるものなのである。

その頃（昭和初年）は人が何を着ていようが、それについてあれこれ批評をする風潮はなかった。特に男性にとって、着るものなど、合理的でありさえすれば格好などどうだってよかったのだ。冬は寒いからメリヤスのステテコを穿く。夏は暑いからチヂミ、あるいは麻のステテコに甚平を着る。それが暑さ寒さに適応したもの　あればそれでよかったのである。男たるものは格好など考える必要は全くなかった。いや、格好を考えるなんて、むしろ軽蔑された。

大阪ではその頃、ステテコの外に白いネルの腰マキをして甚平を着ている人がいたが、私の父はその姿にだけは文句をいった。

「何だ、あの格好は！　男のくせに腰マキをするとは何だ！」

その文句もスタイルに対しての批判ではなく、男の自負心に対する憤慨だったのだ。しかしネルの腰マキは腰の冷えを守り、そうしてステテコよりも風通しがよい点で股間のモノも悠々白雲に遊ぶ趣だったのではあるまいか。ステテコ姿にも腰マキ姿にも、たくまざる庶民の自然への応対がある。そこが私には好ましい。

考えてみればステテコは下着の一種であるから、ステテコ姿で人前に出るということは不作法になる。しかしあの時代の庶民は平気でステテコで街を歩いた。野球場などへ行くとステテコ姿があっちにもこっちにもいた。海水浴場へ行くのもステテコ姿は便利である。湯上りも、夕涼みもステテコ姿。突然の来客には咄嗟《とっさ》に甚平を脱ぎ捨てステテコの上に浴衣《ゆかた》を着て帯を巻きつければそれでよいのである。

当今の男性は暑さ寒さへの対応よりも、まず第一に格好を考えなければならないらしいのが気の毒である。

その格好第一主義は女性の要望に押されたためなのか、男性自らが格好第一主義になったのかはよくわからないが、くつろげる筈《はず》の家庭にあっても暑くるしいズボン、ジーンズ、せいぜい半ズボンにシャツというスタイルのようだ。

「夏はいいですな。若い女が腕も肩も脚もむき出しにしてくれて、目の保養が出来ます」

とニヤつきながら、自分は汗みずくになっている。その心境はいかなるものであるのか、己れの脚の形を反省して、じっと我慢をしているのか、それとも自信を喪失しているのか。私は気の毒でたまらない。

私が男性のステテコ姿を悪くないと思うのは、何よりも格好をつけようという意識が全く拭い去られている点にある。ステテコ姿の男は、ありのままの彼、彼自身としてそこに存在している——いい替えるならばそれは肩から力を抜いた、という姿である。その姿に何ともいえない男の（人間の）あわれを私は感じるのである。

昔、私は「文芸首都」という文学同人雑誌で小説の勉強をしていた。敗戦後五年目で、漸く空襲の焼跡が消えはじめてきた、という頃である。そんな時代に売れない同人雑誌の発行をつづけることは至難のわざだった。「文芸首都」の主幹、保高徳蔵先生は来る月も来る月も印刷屋の支払いに苦闘しておられた。

その頃のことだ。ある暑い夏の日、私が先生の家へ行くと、先生はチヂミのステテコにチヂミのシャツを着て、意気消沈しておられた。

「あのね、佐藤さん、すみませんがね……」

私は目を伏せ、肩に力が入った。親の脛《すね》カジリであった私は、時々先生から印刷代の借金を申しこまれていたのだ。親の脛をカジっているとはいえ、その脛も母の痩脛である。出来れば私はその借金を断りたい。しかし私は断れない。なぜなら先生のチヂミのステテコとチヂミのシャツが私の胸をしめつけているからである。

もしも保高先生がステテコ姿ではなく、ズボンにワイシャツという格好であったら、私は断ることが出来たかもしれない。チヂミのステテコにはいうにいわれぬ哀愁がある。普段は背広ネクタイに鎧って偉そうに振舞っている男性の（もっとも当今は、背広ネクタイに身を固めているからといって、必ずしも偉そうには見えない男が少なくないが）無防備な生身の姿である。

「ハイ、では何とか……」

と私はつい肯《うなず》いてしまい、家へ帰って痩脛の主と喧嘩をするという仕儀に立ちいたるのであった。

しかし私のこんな感情は、ステテコ姿の男たちを見て育った人たち以外にはわからないであろう。

私の娘などは一言のもとにカッコ悪いといい捨てる。どうしてチヂミのステテコにもあわれがあるのか、わからないという。長い胴と釘抜《くぎぬ》き型の短脚がモロにわかってしまう。見る目も辛い。ズボンで隠してもらいたいという。

しかし、いくら隠したところでクギヌキはクギヌキなのである。たとえ見た目がどうであろうともクギヌキならクギヌキを堂々と露呈すればよろしい。

家庭においてすらステテコ姿がなくなっていくということは、今や男性が女性の権威の下に摺伏《しょうふく》している現れではないか。

男性よ、せめてステテコを穿いて、束の間の権威復活を夢見給《たま》え。

皿を洗う

今から十八年前の年の暮れ、私の家は破産した。夫の経営していた会社が倒産して我が家は借金の山に押し潰され、親類縁者にも見捨てられたのである。

その頃、私は少女小説を細々と書いて生計を助けていたのだが、夫が文なしになると生計を「助ける」なんてものではない、全生活が私の肩にかかってきた。そのため、どんな安い原稿料でも断らずに引き受ける。その原稿を書く傍ら、洗濯掃除、食事の支度、後片づけ、債権者からの電話の応答、すべて一人でしなければならないのだった。

一方、夫の方は、会社がなくなったので何もすることがないのである。昼間は借金取りから逃げ廻って外出、夜はだらだらと寝そべってテレビを見ている。私はそれを横目に食事の支度をし、食器を洗い、子供が明日、小学校へ着て行く洋服にアイロンをかけ、その後、小説を書かなければならない。

せめて皿洗いくらい手伝ってくれれば、早く小説にとりかかれるのである。しかし彼は何もしない。「手伝おうか」ともいわない。アイロンをかけながら私の胸の中には憤怒が湧いてきて、それがだんだん熱を帯びてくる。

――どうして私一人が、何もかもしなくちゃならないの！

その言葉が胸中に渦巻いて、今にも爆発しそうなのをこらえている。

テレビを見ている夫の前には紅茶茶碗がある。紅茶中毒というほどに紅茶の好きな彼は、倒産した癖に生意気にもまだ紅茶を飲んでいる。

「紅茶くれ」

と偉そうにいう（もっともその紅茶は朝から何回も使った葉ッパを煮出して、ムリやり色を絞り出したものだが）。

その時突然、私は爆発した。憤怒のタマツキが脳天を突き抜けたのだ。私は手にしたアイロンをその紅茶茶碗に向ってハッシと打ち下ろしたのだ。茶碗はパカッと二つに割れた。

夫は沈黙している。

私も黙ってそのままアイロンをかけつづけた。

後日、この話を年下の友人にすると友人はいった。

「そんなことするくらいなら、皿洗いしてよって一言いえばいいのに」

全くその通りである。

しかし私にはそれがいえないのである。遠慮していえないのではない。私は男は「エライもの。女の上に立って、女を守るもの」だという教育を受けて育った世代である。そのエライ男が皿を洗う姿を見るのがつらいが、私は辛《つら》い。辛いからいわない。しかし、腹は立つ。腹は立つがいえない。だから茶碗に当る——。


友人はいった。

「でもご主人にしてみれば、いきなりカップを割られるくらいなら、皿を洗ってくれといわれる方がマシなんじゃないの」

その通りである。いわれなくてもわかっている。わかっているが私は出来ない。これは義務意識ではなく感情なのだ。破産して女房に養ってもらっている男が皿を洗う――ああ、見るも無惨な姿だ。憐れすぎる。見てはいられない――。

「厄介な人ねぇ」

年下の友人はほとほと手を焼くといった表情でいった。

「そんなら怒るのやめなさいよ」

「やめなさいといったって、これも感情なんだからそう簡単にはいかないのよ」

と、堂々めぐり。

ところがこの頃、世間の若い夫婦を見ると、ご亭主の皿洗いなんて、少しも珍しくない。極めて自然に行なわれている様子である。男が女よりエライなんてことはない。男と女は平等である。女も男並みの仕事をするから、男も家事をすればよいという理窟通りの家庭生活が営まれている。男が皿洗いをしても見るもツライとか、悲惨だなどと誰も悩まないのである。

「あなた、お皿、洗ってね」

といわなくても、何曜日の夜は男が洗うものときまっていて、甲斐甲斐しく苺模様のサロンエプロンかなんかをかけて皿洗い。

「パパが洗うとグラスがピカピカしてる。上手ねェ」

などといわれ、

「ガラスものは麻布で拭くといいんだ」

と蘊蓄《うんちく》を傾ける。

倒産をきっかけに私は夫と離婚したが、私の夫が苺模様のエプロンが似合う男であったなら、あるいは離婚の悲劇は免れ得たかもしれない。実際、この頃の若い男はエプロン姿で皿を洗う後ろ姿がぴったり、きまっているのである。

弱き者、汝の名は

駅のプラットホームで酔漢が女にからんできた。からまれた女がそれをふりほどいて突いたら、酔漢は線路に落ちて、折しも進入して来た電車の下になって死亡したという事件があった。

プラットホームには何人かの男の乗客がいたが、女が酔漢にからまれているのを横目に見ても、誰も割って入ろうとはしなかった。中に、

「夫婦喧嘩か何かをしているのだと思っていた」

といった人がいて、そういわれれば確かにそう見えたのだろう。夫婦喧嘩は犬も食わぬというからねえ、と世論は納得した。夫婦喧嘩か何か知らないが、そばへ駈けつけて話を聞くのは今はおせっかいのすることなのである。余計な口出しをしたために、暴漢にやられて入院するという羽目に陥った人もいる世の中だから、見て見ぬふ

りをするのが利口なやり方、いや見て見ぬふりをしたくはないが、腕力、度胸の方に自信がないので、やむをえず見ぬふりをする、という男性も少なくなく、だから女も危急の際に男に期待するという気持をいつか捨てた。

「男のくせに」とか「男子たるものが」という言葉、発想、「男意識」というものを根絶させようとしたのは女の意志だったから、そこに男がいるのに女を助けなかったからといって、「それでも男か」とはいいにくくなってしまったようである。

「男の子だから」といっておだてられ、期待された時代の男は、女と酔漢とが争っている場面を見て見ぬふりすることなど出来なかった。男子たるものは弱き者のために強きをくじかなければならぬという男の血が、反射的に沸き立ったものだ。

だが今は弱き者のために強きをくじこうと思う男はいない。それをしなくても恥ではなくなった。なぜなら自分が「弱き者」だからである。

マンション住まいの夫婦が、上の階に住んでいる家族の足音がうるさくて困っていた。上の家族には学校前の子供が二人いて、一日中、ドタンバタン、飛んだり跳ねたりしている。一家は早起きで日曜日でも六時前から、大女の奥さんがドスンドスンと歩く、その足音も相当なものだ。階下の奥さんはたまりかねて上の家へ文句をいいに行く、といい出した。

「うん……しかしなあ」と旦那の方は浮ぬ声で返事をしぶる。

「しかしなあって、何？　何がしかしなあなの？」

「子供にじっとしておれといっても、無理な話だしなあ。子供で静かなのがいるとしたら、それは病人だしなあ……」

「じゃあ、あなたは六時前からドスンドスンやられて、睡眠不足になっても我慢するというの？」

「しかし、上と下に住んでいて、気まずくなるのはいやだろ。始終顔を合わせるんだしさ」

「あなたは困らないというの！　我慢出来るというの！」

「困ってるよ。困ってるけど……」

そんなことをいってるから、あなたは会社でいつも人に追い抜かれてるのよ、と奥さんは余計なことまでいって、「平和に暮す権利」を主張しに上の階へ上って行った。

そこで大女の奥さんが出て来て、どういう論争になったのか。亭主は寝転んでテレビを見ながら、女房の帰りを待っている。

「行ってきたわ……」

「お帰り。どうだった？」

「話はついたわ。出来るだけ静かにしますって」

「そうかい。ごくろーさん」

その日から上の階のドスンドスンはなくなった。子供も棚のものが倒れるような騒ぎ方はしなくなった。

「私が行かなかったら、こんなに寝坊はしていられなかったでしょう」

日曜日の朝のベッドで女房がいう。

「うん、そうだ。確かに」

亭主は素直に感謝して、持つべきものは女房だ、という。今や強くなった女房は、「お前に委《まか》せるよ」といえば、何でもしてくれるのである。

マンションの管理事務所へ要求事項をつきつけに行くことも、町内会へ意見を述べに行くことも、金策、ローンの組み方、子供の学校問題 教育費の捻出。「うーん、困ったなあ……どうするかねえ……」

といってあとは黙っていれば、女房は「やるっきゃない」という気になってやってくれる。何しろ意気さかんであるから、力がある。無能のふりをしていれば、らくが出来るのである。

出産計画のコントロールに失敗しても、「あなたのせいよ、どうするのよう」などと、昔の女房のように泣き声を出して責めるだけ、というようなことはない。いつ妊娠したのか、いつ中絶したのかわからぬうちにちゃんと始末がついており、「こうだったたのよ」と事後報告があるだけなのは、寂しいというよりはやはりらくなのである（ま、中には自分のタネでない子供の始末が、知らぬうちにスイスイついている、ということもあるかもしれないが)。

家庭の頂点に聳《そび》えていて主導権を握り、女房子供を従え、且《かつ》守るという責任を負っていた頃の男たちは、その苦労の代りのように権威をふりかざしたものだった。今、男たちは権威を捨て、女の力の陰に身を置いて、威張れなくてもいい、らくに暮そうという気になってきているようだ。

「いいよ、いいよ、茶碗はボクが洗っとくよ。いいよ、いいよ、早くおやすみ。明日は早いんだから、洗濯はボクがしとくよ」

優しくそういわれると、奥さんの方は無邪気に喜んで、ますます頑張って働かねば……という気になっていく。男と女の差なんかあってはならないのです。男女は平等です。もはや男の時代は過ぎた、ついに女の時代が到来したのよ、といって女がバンザイを叫んでいるそばで、もしかしたら男も、

「バンザーイ」

小さく一緒に手を挙げているのかもしれない。

元来、女の生命力は男の比ではない、それくらい強いものだった。それを知った男は、一所懸命に男社会を作って、女の力を撓《た》めようとした。そうして幾変遷の末、男は女の力に頼る方がトクだということを知り、女の力に押し切られた格好をして、本当は女に何もかも委せて責任のないラクな身分になりたいと考えているのかもしれない。

人のいい女は元気に委せてあれもこれも一人で背負って頑張り、やがてヘトヘトになっていく。男はそれをニンマリ待っているのかもしれないのである。

6章

いつ死んでも未練はない

【老いを生きる〈女の背ぼね〉50～70代】

看病人

私の父は昭和二十四年に七十六歳で死んだ。そのとき母は五十七歳だった。父は寝たり起きたりの生活を一年ほどつづけたあと、五か月余り寝込んで六月はじめの朝、眠ったまま息絶えていた。私と母が父の傍に眠っていたが、父が息を引き取った時は気がつかなかった。私がふと目覚めて父を覗き込んだときはもう息絶えていたのだ。

父は我儘《わがまま》な病人だったので、父の病臥《びょうが》中私たちはよく父の悪口をいった。殊に母はムキになって父に腹を立てていた。父は医師から禁じられている食物を食べたいといい、それを食べさせぬといって怒るのである。

「何のために白隠《はくいん》全集を読んでいたんですか！」

と母はその度に眉を逆立てていった。

「何のために七十年勉強してきたのか……たかが口腹の欲も押えられんとは情けない

人や……」

と母はあとの言葉を父に聞こえぬようにいった。父が食べたいといい、それを母が食べさせないといって怒った食物は、菜っ葉の漬物であった。父と母は菜っ葉の漬物のために必死でいい争い、白隠まで出てくるのがその時の私にはなにかものすごい感じがあった。と同時に咽喉《のど》をくすぐる水泡のような苦い笑いをひそかに笑ったものである。

父が死の床に就いている間、私たち家族の者は昼も夜も交替で父の身体を撫でさすった。眠っていると思ってその手を少しでも休めると、忽ち父は唸《うな》り出して苦悶するのである。ある夜半、それがあまりに激しいので、私たちは暗然として父のまわりに坐っていた。そのとき親戚の一人が何やら書いた紙片を私たちに見せた。

——死の恐怖？

紙片にはそう書いてある。その者がいうには父は本当に足腰が痛むのではなくて、自分のまわりに人を引きつけておきたいために痛いフリをしているのだというのである。そしてなぜ人を引きつけておきたいかといえば死が怖いからではないかという。この穿《うが》った発言に居合わせた者はまじまじと顔を見合わせたまま誰も一言も発しなかった。母は不快げに顔を背けていた。もしかしたら心の中で、何のために白隠全集を……と呟いていたのかもしれない。

父が死んだ時五十七歳だった母は、七十八歳になって重病の床に就いた。その二年前、母は脳出血に見舞われて奇蹟的に一命を取り止めた。その療養中、母は看病人の目を盗んで一人で立って厠《かわや》へ行こうとして転倒した。私が駆けつけて怒ると母はいった。

「立てるのか立てんのか、ためしてみたかったんや」

私は怒る気を失った。その一言に怒る気を失ったのはそれだけ私が年をとった証拠なのであろう。父の病中、私は床の中で尿を取らせるのをいやがる父によく腹を立てたものだった。

「武士たる者が寝床の中で小便が出来るか！」

そういって怒る父に向って私は更に怒り返した。

「なにが武士よ！　勝手な時ばかり武士になって……」

そして私は昂奮《こうふん》のあまり絶句したものだった。無理やり立って便所に向って走る父の後を、憤怒に燃えて追いかけ、

「死んでも知らないから……」

と叫んだりした。その頃の私は若かった。今の私にはそんなファイトはない。父が便所へ立ちたかったのは、自分にどの程度生きる力が残っているかを確かめたいのかもしれないと思うと、たとえそれを医師が禁じていたとしても、私はそうさせてやりたいような気がする。死んで行く者にとって看病人は必ずしも〃助ける者〃ではなく、向こう岸の見物人にすぎないのではないだろうか？　この頃、私はそんなことを思う。そんなことを思う私はよい看病人にもなれず、また怖《おそ》ろしくて病人にもなれないのである。

まことの花

私の北海道の山荘は、牧場と海を見下ろす草山の中腹を削り取って建てた一軒家である。十二年前、そこに夏の家を建てた時、その庭にツツジを植えたが、翌年行ってみると一本残らず枯れていた。そこで白樺を植えた。だがそれも無残に枯れたので、紅葉とから松を植えたが、それも駄目になった。何を植えても枯れてしまうのは、海から吹きつけてくる潮風のためである。

そこで植木を植えることは諦めた。庭はあるがままの草原になった。秋、冬、春を越して夏になってから行くと、庭は「夏草やつわものどもが夢の跡」という趣になっている。それはそれなりに可とするよりしょうがない。そうして数年経った。

ある年の五月、所用のために山荘へ行った。いつもは夏がきてから行くことにしていたので、五月ははじめてである。約五百メートルの山道を上って我が家へ入った。

と、思いがけず赤いものが目に入った。あっと思った。源平ウツギだった。いつの年だったか知人が来て、これなら大丈夫でしょうといって植えていった源平ウツギが、名前通り赤と白の花を咲かせているのである。

おそらく、それまでどの年も源平ウツギは毎春、花を咲かせていたのだろう。しかし私が行くのは夏だから、花を見たことは一度もなかった。この庭は花と縁がないと思いこんでいたのだ。源平ウツギは誰もいない庭で、風にも負けず凍てにも負けず、季節のめぐりに従って無心に花を咲かせていたのだ。

そのウツギの健気《けなげ》さに、私は胸を打たれた。花は人に見られようとして咲くわけではない。極めて当り前のそのことを、改めて私は思った。花は人のために咲くのではなく、自分自身のために咲くのだ。人が愛《め》でようが愛でまいが、誰もいない庭でひとり咲いてひとり散っていた。これこそがまことの花のまことの咲きようなのであった。

もう沢山

伊豆半島のとある温泉町に、ふと、リゾートマンションなるものを購《あがな》う気になった。まったく「ふと」としかいいようのない動機である。建設会社から送られてきたパンフレットの間どり図を見ているうちにその気になったのだ。

そこですぐ、電話をかけた。とすぐ、セールスマンがやってきた。マンションはこれから建設にかかるので、今のうちなら間どりなどの変更はきくという。

「温泉は使い放題です。水道と違っていくら使ってもタダです」

という、それが気に入った。蛇口をひねればすぐお湯が出てくる、常時、流しっ放しにしていれば、いつでも入りたい時にすぐに入れ、しかもタダというのが大いに気に入った。年中、身体を凝《こ》らしている私は、朝起きるとすぐに風呂に入って、丸太《まるた》ん棒《ぼう》のようになっている身体をほごすのが長年の夢だった。だが、築後三十年という古家では、浴槽に水を満たし、ガスを点火して沸き上るまでに一時間かかる。朝は忙しいのだ。よろず性急《せっかち》な私はその時間を待つことが出来ない。

——パッと起き、ザッと入る。

それが私の夢だったのだ。それが実現出来るというので一も二もなく私は買う気になったのである。

早速、浴室を広くとることにした。浴槽も大きくした。いっそ気泡風呂にしたら、という人がいて、そういわれるとすぐ、その気になった。

「温泉つきよ。しかもアワの温泉」

と友人にふれ廻った。

十か月後にマンションは建ち上った。温泉街を見下ろす山の中腹。三階建でワンフロア三部屋しかない極めて小ぢんまりしたマンションであるから静かなことこの上ない。まわりは別荘や保養所が多く、散歩に出ても人と会うことがない。

ここを私の隠遁の場ときめた。これからは俗塵《ぞくじん》を避けてひとり意のままに暮す。

ここならば寝たい時に寝、起きたい時に起き、掃除もしたくなければせず、したくなればするという暮し方が出来る。一日中、部屋着のままでいられるし、ボウボウ頭のままでもいい。

そんな暮しに入ってしまうと、すぐに老けこみますよ、緊張がないと人間ってダメになるんです、という人がいるが、ダメになるのが何が悪い、という気持である。とにかく東京の生活は私に向いていないのだ。それで一度は北海道へ逃げ出したが、ここは冬の生活が出来ない。十二月に入ると水は凍てつき、風は（雨戸に二重窓という厳重な守りにもかかわらず）家の中を駆けめぐり、ストーブのある部屋を出て手洗いへ行く時は、一目散に廊下を走るという有様である。便所の中も風が吹いている。ガタガタ慄《ふる》えながらオシッコをする。さすがにオシッコは凍らないが、寒さに耐えかねてダイの方はやめてしまうので、便秘の癖がついてしまう。

そんなこんなで東京を逃げ出せる冬の家がほしくなったのだ。やがては東京の古家を始末して、ここをついの棲処《すみか》とするつもりである。

秋、漸くすべてが整った。数人の友達に手伝ってもらい、引越を完了した。三LDKのうち、一部屋をダイニングルームと合体させたので、リビングは広々しているのが気持いい。D建設にいわせると、すべて「最新設備」が行き届いているそうで、

「まあ、お住みになって下さい。十二分にご満足いただけると思いますよ」

ということである。

私は早速、温泉の湯をなみなみと浴槽に満たした。いささかぬるい。がお湯を出しっ放しにしていると、少しずつ熱くなってきて、頃合の湯加減だ。気泡の出るボタンを押す。待ってましたとばかりに腰や腿のあたりで気泡が渦まけば、

「ゴクラク、ゴクラク」

年相応の呟きが洩れるのである。

その時は一泊しただけで、友人と一緒に帰京した。次に行ったのも一泊である。せめて四、五日は滞在したいと思うが、その時間がとれない。漸くまとまった日がとれたのは正月になってからである。前から私の温泉マンションを楽しみにしてくれて

いたTさんを誘って出かけた。Tさんは四十年来のつき合いで、私より十歳ばかり年上である。

「まあ、ひろびろして気持いいこと。あなたも一人でよくがんばったわね……」

と讃えてくれる。外は冷たい冬の雨。ここは温暖の地ということになっているが、こういう雨の日はやはりストーブをつけたい。ストーブは灯油だが、これも「最新型」とかで、懇意にしている電気商のSさんがわざわざ東京から運んでくれたものである。

「灯油はもう入れてありますから、つける時はこのボタンを押せばいいんです。ええ、押すだけでいいんです」

秋に運んでくれた時、Sさんは「きっぱり」そういった。「きっぱり」いったのは、いろんな説明をしても私が理解しないこと、理解しないばかりか却って混乱してしまうことを弁《わきま》えているからで、きっぱりいうことによって、私を安心させようとしたのである。

そこでボタンを押す。ややあって微《かす》かな気配がして灯油は燃え出したようである。

燃えているかいないか、使い馴れた東京の古家のストーブは、覗けば焔《ほのお》が見えるようになっているが、このストーブはいったいどこで燃えているのやら、何だか知らないが赤く点滅するもの、青白く光る数字、何の印かやはり青白く並んでいる丸ポチ、その隣にハスカイに並ぶ矩形《くけい》など、理解しようとすると気分が悪くなりそうなものがずらりと灯っていて、これらが灯っている限りは灯油は無事に燃えているということなのであろうと得心するしかない。

「へーえ、何だか高級そうなストーブねーえ。次から次へとこうして新しい便利なものが出来てくるのねーえ……」

とTさんは感心している。

ともあれ温泉に入って下さい、と浴槽に温泉を入れた。はじめのうちは少しぬるいのが出てくるけど、間もなく熱くなってくるから二十分ほどしてから入ってね、といって私はお茶の支度にとりかかった。娘が買い整えてくれた電気ポットの頭を押して急須にお湯を注ぐ。

「ベンリねーえ……」

とTさんはまた感心する。

「わたしはいまだに魔法瓶を使ってるのよ」

ポットといわずに魔法瓶というところに、何ともいえない親しみを覚える。

お茶を飲んだ後、Tさんは浴室に立った。

「昼間からお風呂に入るなんて、はじめてよ」

といいながら。

私は東京から持ってきた当座の食糧を冷蔵庫にしまい、夕食のための米をとぎ、野菜を洗い、ひと休みしていると暫くして浴室からTさんが出てきた。何やら白茶けた、浮ぬ顔をしている。

「ゆっくりだったわね。のんびり出来た?」

見るとTさんの頭が濡れている。少なくなった髪の毛がべったり頭に張りついて、年をとった海坊主という趣だ。

「アタマ、洗ったの？」

「フフフ」

Tさんは笑っただけである。いうのを忘れていたが、Tさんはここへ来る数日前に突然「急性難聴」という病気になって、耳が聞こえにくくなっていたのだ。だからよく聞こえない時はとりあえず「まあネ」とか「フフフ」で返事の代りとすることにしているらしい。

お茶好きのTさんのためにまたお茶をいれた。Tさんはまるで氷雨の中を濡れてきた人のように、両手を温めるように湯呑を手の中に入れ、一口飲んでは、

「はアーッ」

吐息を洩らす。それは満足の吐息みたいだが、安堵の吐息のようでもあり、歎息のそれのようでもある。

私はTさんを残して温泉に入ることにした。Tさんが出た後もお湯は出しっ放しにしてある。裸になって浴室に入り、浴槽に手桶を入れて思わずあっといった。

ぬるい。まるで日なた水だ。

しかし、もう裸になっているのでそのまま浴槽に身を沈めた。蛇口から流れ出ている温泉に手をやると、少しずつ熱くなっているような気がする。今日は雨が降って気温が下っているから、熱くなるまでに時間がかかるのかもしれない。

そう思って浴槽に身体を沈めた。じっと熱くなるのを待った。少し熱くなってきたようだが、浴槽から出ると寒い。仕方なくまた入る。そうだ、北海道に家を建てた時はひどいものだった、と思う。何しろ人里離れた丘の上の一軒家。電柱を十本分、自己負担で建てなければならなかったため、予算が狂って二階は内壁なし、天井なしという家になった。何とか建ち上ったものの、家具を買う金がない。遠藤周作さんに使い古しのソファセットを貰い、秋野卓美さんからはロッキングチェア、川上宗薫さんには書きもの机をねだった。あとは東京の古家の納戸、物置きを引っかき廻し、亡母が愛用していた古道具、古釜、古鍋を探し出して運んだ。タライで洗濯をしていたので、それを見た俵萠子さんが洗濯機をプレゼントしてくれ、近所の牧場主からはテレビ（持馬が草競馬で勝ったその賞品）を寄附してもらった。それが今から十四年前である。

しかし今回はすべて自費で賄《まかな》えた。十四年の間、刻苦勉励した甲斐があった。北海道の家が人の情けのたまものだとすれば、ここはたゆむことなき我が奮励努力のたまものである……。

そんな自讃に耽《ふけ》って湯の熱くなるのを待ったが、一向に温度は変らない。諦めて出ようと立つが、立つとやはり寒いのでまた入る。そのうち追い焚きの設備がついていると聞いたことを思い出した。温泉が出ている蛇口の左にもう一つ蛇口があって、その上にいかめしい金具が取りつけられている。これが追い焚きの設備であろう。温泉は使い放題だというのに、水道の水で追い焚きしなければならないのは業腹だが仕方がない。その目盛らしいものがゴチャゴチャとついているカランを廻し、水道を出した。そしてじっと湯に浸って待った。浴槽の中は次第に熱くなる筈が、逆に冷たくなっていくではないか。

今か今かと熱くなるのを待つ。そのうちぬるま湯だったのが、すっかり水になってしまった。憤然と浴槽を出て、上り湯のカランの前へ行った。こうなった以上は上り湯の熱湯を浴槽へ汲みこむよりしょうがない。手桶を蛇口の下に置いて、カランを左へ廻した。だが出るのはただの水だ。右へ廻せば熱湯が出る仕組みになっているのだろうと思って右へ廻した。

と、突然、頭の上からザーッと水が落ちかかってくるではないか。驚いて水浸しの目を無理やり開いて見上げると、シャワーから水が降り注いでいる。慌てて左へ廻す。蛇口からジャー。右へ廻す。又してもシャワーが頭上に降り注ぐ。しかもいずれも水だ。いったいこれを止めるにはどうすればいいのだ。あちこち廻しているうちにわかった。このカランについている赤い印を真ん中へ持ってくれば止るのだ。

そもそもカランというものは、片方へ廻せば水が出、反対へねじると止るものと昔からきまっているのだ。もうこれ以上は動かないというところまでいくと止る。それがカランの「自然」というものである。その「カランの自然」は我々使い手の自然でもある。我々はそうしてカランと馴染み、何の不都合もなかった。それを何を好きこのんで、かかるわけのわからんものを作るのか。

あとで娘に聞いたところによると、左の方には「蛇口」、右には「シャワー」、真ん中の赤いところは「止」という字が書いてあるという。

「それをよく見ないのがいけないのよ」

私は老眼がひどい。その上に白内障も患っている。するとなにか！　この風呂にはばあさんやじいさんは入ってはいけないということなのか！

この風呂に不都合なく入るには、老眼鏡をかけなければならない。いったい、メガネをかけて風呂へ入る国がどこにある！　メガネをかけて風呂へ入ったらどうなるか。湯気で曇って全盲同然になることは子供でも知っていることだ。

今にしてTさんが海坊主のようになって、浮かぬ顔をして出てきたわけがわかった。私は寒さも忘れて浴室から出た。追い焚きの設備に不備があるにちがいない。D建設のOさんに電話をかけて文句をいってやらねば、と慄えながら電話帳を繰っていると、どこからかピイピイという笛のような音が聞こえてきた。

「ピイピイピイ」

そう大きな音ではないが、執拗に鳴りつづける。

「何かしら？」

Tさんをふり返ったが、Tさんはすまして栗饅頭を食べている。

「ねえ、ピイピイいってるでしょ？　何かしら……」

音のする方へ走る。どうやらキッチンの調理台の上に置いた電気湯沸しらしい。電気湯沸しが何をピイピイいってるのだ。

蓋を開けると中のお湯が半分になっている。つまり湯沸しが、中の水がなくなってきたことを報せているのだ。そんなこと、いちいち報せてくれなくてもいい。余計なお世話だといいつつ水を入れる。

さてD建設へ電話しようとダイヤルを廻しているうちに、ふと目の前の壁に白いプラスチックの小箱のようなものがくっついているのに気がついた。眼鏡を老眼鏡に替えてよく見ると、どうやらそれが浴室、洗濯所、台所などのお湯の元栓で、その箱の蓋を開いてスイッチを入れることによって、お湯の出る仕組みになっていることがわかった。こんなところに、箱型にしたりしてしゃれているからわからないのだ。

「なーんだ、これを押せばよかったのよ！」

思わず叫んでふり返ったが、Tさんはやはりすましてまだ栗饅頭を食べている。それにしてもD建設へ電話をかけなくてよかった。

「ほんとに気持よく、便利に出来ているのねえ、ここは」

ストーブのそばでTさんは、髪が乾きはじめて気持よさそうだ。

「便利？　便利とはいったいどういうことか……」

私は便利ということについて説を述べたいが、やめる。

だんだん、無口になる。Tさんが思い出話をはじめる。そうだったわね。そうそう。よく覚えているわね。と相槌を打つ。

「ほんとにいい世の中になったものねえ。あの頃、焼跡を歩き廻って、焼け残った家の羽目板を外してきて、それを石油缶の中で焚いてストーブ代りにしたものよ。ボロボロの石油缶がほんとに貴重な家財だったんだから。そうそう、お風呂だってドラム缶だった。あの頃ね、A子さんなんか、ほら、K子ちゃん、あのK子ちゃんが生れて間もなくの頃で、その配給の粉ミルクをね、A子さんが自分で飲んでしまったんだって。K子ちゃんにはお米のとぎ汁みたいなものに何だか混ぜて飲ませたんだって。赤ん坊はどうせ味覚なんかないんだからって」

そういう話がはじまると、「便利とはいったいどういうことか」という論議など口に出来なくなる。

「ほんと。有難い時代になったわねぇ」

とやはりいわずにはいられない。やはりそういうべきであろう。

すると突然、またはじまった。

ル、ル、ル、ル

ル、ル、ル、ル、ル

あの湯沸しか、とキッチンへ走る。しかし湯沸しとは音がちがう。

「何が鳴っているの！　何なのこの音！」

さすがにTさんも気がついた。音はどうやら部屋の隅のストーブから出ているらしい。だがストーブが何ゆえ音を出すかが二人ともわからない。ストーブは鳴りつづける。

「どうしたの、何ですか、いったい！」

思わずストーブに向って叫ぶ。さっきの湯沸しのピイピイと考え合わせて、もしかしたら灯油がなくなったという合図かもしれないと思う。片隅の蓋を開けて缶を取り出す。ル、ルルはやむ。

「親切ねえ、よく出来ているのねえ」

とTさんは感心する。

正月早々、私はヘトヘトになってしまった。その夜半、ストーブがまたしても鳴りはじめたのだ。灯油は十分入っている。今度はいったい何なのだ。仕方なく東京にいる娘に電話をかけて訊いた。

「それは灯油がなくなってるんじゃないの？」

「だから灯油は入ってるといってるでしょう。目盛にもちゃんと出てるんだから」

「じゃあそれでいいんじゃないの」

「でも鳴ってるのよう！」

と私は苛立った。

「そんなこと、わたしに怒ったってしょうがないよう。もしかしたら、換気をしなさいって合図じゃないのかしら？」

「換気？　そんなことまで報せるのか！」

「そうじゃなかったかしら……。とにかく使用説明がもの入れに入っている筈よ。よく読んだら？」

「読んだんだけど、わからないんだよう！」

「わからなければわかるまでじっくり読めばいいでしょう！」

「もういい！」

私は電話を切り、ついでにストーブを蹴っ飛ばし、コードを引き抜いてしまった。

翌日も雨である。気温が下って寒い。

温泉は冷たい。出しても出しても熱くならない（熱くならないのは、屋上に上げてある大タンクに引いた温泉が、使用量が少ないために屋上のタンクの中で冷えてしまうためだと後になってわかった）

ならないので、業腹だが仕方なく追い焚きをする。熱湯を入れるために温度を高温にしようとすると、途中でカチンと止ったまま先へいかない。五十度、六十度と目盛があるのに、だ。怒りながら使用説明書を探して読んだ。四十度以上にする時は、横にある赤いポッチを押せば高い方に動く、とある。四十度で一応、止るようになっているのは、子供などが廻し過ぎて高温までもっていき、ヤケドをしたりするのを防ぐためだという。

ああ、もう沢山だ。ほとほとイヤになった。疲れた。

何もそこまで心配してもらわなくてもいい。余計な世話をして親切ぶるのはやめてほしい。こんなことをして、いったい人間をどうしようというのだ。アタマを使わないとボケますよ、といいながら、ボケさせようと企んでいる……。いや、こうして年寄りを右往左往させてボケを防いでいるのです、とでもいうつもりか。

そう思いながらカランの前で手桶に湯を汲み、止めたつもりが、またしてもつい、カランを廻し過ぎて頭からビショ濡れになった。

「いったい、彼らは……」

と思わず叫んだ、機械に服従するしかない人間を造って、一億総アホウにしようと企んでいるのか。これは何者かの陰謀だ！「文明の進歩」という名の陰謀。「便利」という名の堕落。

風呂から出てくると、Tさんはソファの上にチョコナンと坐って、昨日の残りの栗饅頭を食べている。

「またやっちゃった。頭からズブ濡れ」

Tさんはそれには答えず、

「ストーブ、ついてないみたいね」

「でもお風呂に入る前にボタン押しといたのよ……」

何度ボタンを押してもストーブは冷たい。ついているのかいないのか、焔が見えないからわからない。だが例の青白い記号の列は、どこ吹く風というふうにずらりと灯っている。

また老眼鏡をかけて使用説明書を読む。

「ストーブが作動しない原因」
一、灯油がなくなっている。
一、電源が入っていない。
当り前のことをいうな。そこまで教えてもらわなくても、それくらいは誰だって注意するよ！　次を読んで、あっと思った。
一、地震やストーブを移動させたための振動で、防火装置が作動した時……。
これだ！　昨夜、ストーブが鳴り出して止らなかった時、私は思わず蹴ってゆさぶった。それでストーブは点火をやめたのだ。まるで私への仕返しのように……。

私はTさんと一緒に小雨の中を東京へ帰ることにした。ここにいると東京にいるよりも忙しい。疲れる。居心地が悪い。

帰り支度をし、カーテンを引いて改めてあたりを見廻した。小暗い部屋にテレビの主電源がポツンと赤く灯り、冷蔵庫がブーンと低い唸《うな》りを上げている。そしてかのストーブめは向こうの隅にくろぐろとうずくまり、コードを抜いているのに、なぜか一か所、青白い記号が光っている。まるで息づいているように禍々《まがまが》しく。

なぜ電源を切ってあるのに光が消えないのか。私にはわからない。わからないが、とにかくそうなっているからにはそうしておくしかないのである。

もう「最新設備」は沢山だ。しみじみ東京の古家が懐かしい。

もうこの世に未練はなくなった。

もういつ死んでもいい。

花咲いて老いを知る

たいそう花好きの人がいて、その人の家の前庭は春の花が色とりどりに咲き誇り、パンジーの紫と黄色、チューリップの赤、桜草の桃色、各種のばらのいろいろがぎっしり詰めこまれておせち料理さながら、垣根にも蔓《つる》ばらの白とピンクがたわわに咲いている。そういう庭を見るとその家の主《あるじ》の花への情熱にたじろぐ思いがして、その家に溢れるエネルギーに圧倒される。

「まあ、きれいだこと！」

一応、いわねばならぬのだろう。しかしこれを「きれい」といっていいものか。やはりこれだけの色彩を一どきに溢れさせている光景は「きれいだ」というべきなのであろう、と思いを改め、

「なんて素晴しいんでしょう！」

讃嘆してみせる。その情熱の花園を見て何の歓声も上げず、そ知らぬ顔をする人は偏くつといわれても仕方がないだろう。花というものにはそういう力がある。人を動かす力が。

しかし年を重ねるにつれて次第にエネルギーが衰えつつある私には、例えば手作りのデコレーションケーキの上にチョコレートやら色つけした果物の砂糖煮やらがこれでもかこれでもかと載っかっているのを勧められて、見事だけれど胸が閊《つか》える、という気持で手が出ないのと同じように、「なんて素晴しいんでしょう」というのが億劫《おっくう》になってきた。

花はさりげなく咲いているのが好きになってきた。公園や城址などでこれでもかこれでもかと咲かせた桜は、無理にでも感動しなければ花に対して相すまぬという気になって却ってうっとうしい。道を歩いていてふと顔を上げる。人気ない住宅街の古い板塀の上に山茶花《さざんか》がひっそりと白い花をつけている。

「あ、山茶花が……」

という感じが私は好きだ。

娘が幼い頃、私は娘の手を引いてよく町内を散歩したものである。その時、とある大邸宅の塀の上から、瑞々《みずみず》しい緑の、繊細に尖った葉を広げている大王松の頭が覗いているのに気がつき、思わず立ち止って見惚れては心惹かれつつ通り過ぎた。

その頃は生活も安定しており家庭も平和だったから、他家の松に見惚れるといったゆとりが私にもあったのだ。

「あんな大王松をうちの庭にも植えましょうよ」

と私は正月がくるたびに夫にねだった。あのような大王松が庭にあれば、正月用の花を活ける時に、花屋でバカ高い松に肝をつぶしながら買う必要がないのである。

「うん、そのうちにな」

とばかりいっていた夫は、「そのうちに」事業の失敗で一文なしになってしまった。一文なしになった上に夫はどこかへ行ってしまい、姿を現した時は、離婚届の用紙を手にしていた。

大王松もヘッタクレもないよ、という暮しがそこからはじまった。ガムシャラに働く二十年が過ぎた。娘を連れて散歩するどころじゃない。仕事で外出するほかは書斎に入ったきり、という生活がつづいた。娘は小学校を卒業し、中学を出、高校を出、曲りなりにも大学を卒業し、結婚した。

その間私はずーっと書斎にいた、といっていい。いくらか暮しが楽になり夏は北海道の別荘に行けるようになったが、しかしそこでもやはり書斎にいた。娘は子供を産み、時々その子を連れてやってくる。

ある日私は孫を乳母車に乗せて町内を散歩した。こうして散歩をするのは何年ぶりかと考え、いや何年ぶりじゃない何十年ぶりというべきであったと気がついた。乳母車を押しながらあの邸宅の前を通る。

そこは何年か前に大企業に買い取られて鉄筋コンクリート三階建の社員寮に変り、あの大王松の姿は見当らなくなっている。家屋が取り壊された時に一緒に切られてしまったのだろう。そこを通るたびにそう思いながら通り過ぎていたのだったが、その時、乳母車を押しつつ、いつになくのんびりと空を見上げた目の中に、鉄筋三階の屋根に届かんばかりの松の大木が入ってきた。くろずんだ葉のかたまりが幾つもの房のように重なり垂れている。

あっと思わず声が出た。あの大王松だった。あの大王松の年々歳々の成長を見ることなく過ぎた長い年月が今更のように思われた。考えてみれば当り前のことだった。あの時私に手を引かれていた娘が産んだ子供が、今乳母車に乗っているのだから。

花あればこそ　老知《おい》る今日もあり

戦いすんで今は静かに日が暮れつつあるのだった。

著者　佐藤愛子（さとう・あいこ）

1923年大阪生まれ。甲南高等女学校卒業。小説家・佐藤紅緑を父に、詩人・サトウハチローを兄に持つ。1969年『戦いすんで日が暮れて』で第61回直木賞、1979年『幸福の絵』で第18回女流文学賞、2000年『血脈』の完成により第48回菊池寛賞、2015年『晩鐘』で第25回紫式部文学賞を受賞。2017年旭日小綬章を受章。最近の著書に、大ベストセラーとなった『九十歳。何がめでたい』『冥界からの電話』『人生は美しいことだけ憶えていればいい』『気がつけば、終着駅』『九十八歳。戦いやまず日は暮れず』などがある。

装丁デザイン　横須賀拓
本文デザイン・DTP　尾本卓弥（リベラル社）
編集人　伊藤光恵（リベラル社）
編集　鈴木ひろみ（リベラル社）
営業　竹本健志（リベラル社）
制作・営業コーディネーター　仲野進（リベラル社）

編集部　榊原和雄・中村彩・安永敏史
営業部　津村卓・澤順二・津田滋春・廣田修・青木ちはる・持丸孝・坂本鈴佳

※本書は2009年に海竜社より発行した『女の背ぼね』を新装復刊したものです。

女の背ぼね　新装版

2023年3月25日　初版発行

著　者　佐藤　愛子
発行者　隅田　直樹
発行所　株式会社 リベラル社
〒460-0008　名古屋市中区栄3-7-9　新鏡栄ビル8F
TEL 052-261-9101　FAX 052-261-9134
http://liberalsya.com
発　売　株式会社 星雲社（共同出版社・流通責任出版社）
〒112-0005　東京都文京区水道1-3-30
TEL 03-3868-3275
印刷・製本所　株式会社 シナノパブリッシングプレス

ISBN978-4-434-31811-5　C0095